まえがき

税法学習は、税理士への真の

　本書を手にしたみなさんの多くは、税理士試験の会計科目（簿記論、財務諸表論）の受験をされた方や無事合格された方だと思います。よくぞ、ここまで来られました！

　そして、いよいよ税法科目の学習をはじめようとされる方にあらためて伝えておきたいことがあります。それは、税理士とは「税法のプロフェッショナルであり、法律家である」ということです。

　ですから、税法の学習は税理士への真の第一歩を踏み出したことになります。

　ここからまた気を引き締めていけば、税理士試験の合格も間近です。

　さて、ネットスクールでは税理士試験を目指す方への資格支援の学校として、画期的なことを行いました。それは、本来、高額な受講料を払ってのみ手にすることのできる講座使用教材を書店やネットショップで市販することでした。

　これにより、独学者にも平等に合格を目指す機会を提供することができましたし、また、独学者が同じ教材を使用して講座学習に切り替えられるという利便性を高めることができました。

　一方で、講座使用教材を誰もが購入できるということは、講座の付加価値の希薄化を招き、さらには講座のノウハウの流出というリスクも抱えてしまうことになりかねません。

　しかしそれでも、人生を賭けてチャレンジする受験生にとってよりよい教材は生命線であり、その気持ちを想像したときに、講座使用教材を市販することについて一縷の迷いも生じることはありませんでした。さらに言えば、講座のノウハウとして主要な要素である講師からの説明を側注として書き添えることで、独学でもより理解の深まる教科書に仕上げることに注力いたしました。

　合格するための状況は我々が整えます。

　みなさんは、この本で勇気を持って始め、本気で学んでください。

　そうすれば、みなさん自身ばかりではなく、みなさんの周りの人たちをも幸せにできる、そんな人生が開けてきます。

　さあ、この一歩、いま踏み出しましょう！

税理士WEB講座
講師一同

目次

Contents

税理士試験　教科書
相続税法II　基礎完成編

本書の構成・特長

> このセクションで何を学習するのか、また、その学習の要点についてまとめています。

> 教科書で学習した内容をすぐに問題集で確認できるようになっています。

> 側注には、主に講師からの補足説明を記載し、理解の深度と学習のモチベーションが高まるよう工夫しています。

> 本試験対策として必要な学習項目をセクションごとに整理し、効率よく学習を進められます。

Section 1 相続時精算課税制度

この制度は、相続税と贈与税の一体課税を目的とした「生前相続」制度です。
この Section では、相続時精算課税制度について学習します。

1 概 要

>> 問題集 問題 1～3

> 学習内容の全体像を掴むために、まず概要から説明をスタートします。

　高齢化社会を迎えた我が国において高齢者の保有する資産活用が滞ることによる経済の減退が懸念される中、早めの次世代への資産の移転を容易にするために相続時精算課税制度は創設[*01]されました。

　従来は、税負担の重い生前贈与を避け、相続の機会を待って資産の移転が行われてきました。

　そこで、生前贈与を相続の前倒し（生前相続）と考え、その贈与税はあくまで相続税の概算払いとし、実際に相続が開始した時においてはその相続税の概算払いである贈与税を、相続税から控除するという方式をとることにより、相続税と贈与税の一体課税を実現しました。

　これにより、生前贈与であっても実質的な税負担は相続税と同じであることから、早期の資産移転が期待できるようになります。

*01 暦年課税の贈与税は相続税よりも税負担が重いため、例えば、親から30,000千円の贈与を受けた場合には、10,355千円もの贈与税を払うこととなり贈与を躊躇するかもしれません。しかし、相続時精算課税であれば、780千円の贈与税だけで済むため、子・孫への贈与を積極的に行う機会が増えることが期待されます。

<図 解>

（贈与者）60歳以上の親
↓ 財産の贈与
（受贈者）18歳以上の子・孫

	選択する	選択しない
（贈与時）	相 続 時 精 算 課 税	暦 年 課 税
	（贈与財産－110万円－2,500万円）×20% ＝贈与税額（相続税の概算払い）	（贈与財産－110万円）×税率 ＝贈与税額
（相続開始時）	(1) 贈与財産すべてを贈与時の価額から110万円控除した価額で加算します。 (2) 過去に課せられた贈与税額を控除します。（控除しきれない贈与税額は還付され	(1) 相続開始前7年以内の贈与財産のみを贈与時の価額で加算します。 (2) 過去に課せられた贈与税

著者からのメッセージ

本書の著者であり、WEB 講座の講師でもある山本和史先生から、本書を学習する前の心構えとしてメッセージがございます。本書を最大限に有効活用するためにも、まずはこのメッセージをお読みください。

プロフィール
講師　山本和史
（やまもとかずふみ）
講師歴 38 年。わかりやすい講義をモットーとし、長年の講師歴の中で培った受験生の陥りやすい誤りを未然に防ぐ授業を展開し受験生を合格へと導く。

◆学習アドバイス

本書の前半（Chapter 5 まで）は「基礎導入編」で学習した内容を基にして納付すべき相続税額の計算を学習していきます。住宅取得等資金、教育、結婚・子育て資金の非課税といった応用的な学習項目が出てきますので別冊の「問題集」を活用して規定の内容を正しく覚えていくようにしてください。

また、本書の後半（Chapter 6）からは財産評価を学習していきます。この財産評価は税理士試験相続税法の合否を分ける重要単元となります。財産評価はこの基礎完成編で基本的事項を学習し、この後の応用編で実践的な内容を学習していきます。応用編の学習がスムーズに進んでいくようこの基礎完成編で基礎固めをしっかり行うようにしてください。

◆理論対策

税理士試験相続税法では第一問に理論（記述）問題が出題されますので本書で学習した内容を基に別冊の「理論集」を活用し理論暗記を行われるようにしてください。この理論暗記はただ単に覚えれば良いというわけではなく、覚えた理論をいつまでも覚え続けなければいけません。このようなことから本書で規定の内容を正確に理解した上で別冊の「理論集」を使って相続税法上の規定を繰り返し覚えていくようにしてください。

税理士試験合格に向けた学習

教科書・問題集　Ⅰ基礎導入編

　基礎導入編は"教科書（テキスト）"と"問題集"の内容を1冊にまとめた構成となっており、『教科書編』ではインプットを、『問題集編』ではアウトプットを繰り返すことにより、効率的に学習を進めることができます。何事も最初が肝心となりますので、まずは本書で相続税法学習の土台を作りあげていきましょう。

教科書／問題集　Ⅱ基礎完成編

　基礎導入編での学習が終わったら、基礎完成編に移ります。基礎導入編と同様に、税理士試験で頻繁に出題される重要論点の基礎的事項を学習していきます。

　基礎完成編も基礎導入編と同様に、教科書でインプットしたことを必ず問題集（教科書と別売りとなります）を使ってアウトプットし、学習した知識を定着させましょう。

理 論 集

　理論学習に特化したテキストで、効果的で無駄のない理論学習を行えます。

　また、重要理論については音声＆デジタル版のWダウンロードサービスを付帯し、移動中や外出先でも理論学習を行えるようにしております（別途有料サービス）ので、あわせてご利用ください。

教科書／問題集　Ⅲ応用編

　基礎完成編での学習が終わったら、応用編の学習に移ります。試験対策として重要となる応用的な内容及び特殊論点を学習していくことになりますが、基礎導入編及び基礎完成編で学習した内容を基に学習を進めていただければ、無理なく学習を進めることができますので、復習する際は、基礎導入編及び基礎完成編も併せて復習するようにしましょう。

全経　税法能力検定試験　公式テキスト（3級／2級・1級）

　公益社団法人　全国経理教育協会（全経協会）では、経理担当者として身に付けておきたい法人税法・消費税法・相続税法・所得税法の実務能力を測る検定試験が実施されています。試験を受けることで、実務のスキルアップを図れるだけでなく、税理士試験の基礎学力の確認としても有効に活用することができます。税理士試験の学習と並行して、全経　税法能力検定試験の学習を進めることをお勧めします。

※検定試験の詳細は、全経協会公式ホームページをご確認ください。
https://www.zenkei.or.jp/

ラストスパート模試

　教科書（テキスト）での学習が一通り終わったら、本試験形式で構成された模擬試験問題を解きましょう。本シリーズでは、ネットスクールの税理士講師の先生が作成した模擬問題を3回分収載しています。

　試験問題を本体から取り外し、YouTube で配信している「試験タイマー」を流しながら解くことで、試験本番の臨場感の中で解くことができます。学習してきた力を試験本番で十分に発揮できるよう訓練をしましょう。

試験合格！

ネットスクール公式 YouTube チャンネル

試験勉強や合格後の実務に役立つ動画も随時配信中！

- ☑ 出題予想や本試験の講評・解説
- ☑ 最新の実務の動向を解説する「ネットスクール学びちゃんねる」
- ☑ 試験会場の雰囲気を味わえる試験タイマーなど

アカウントをお持ちの方はぜひチャンネル登録のうえ、ご覧ください。

※掲載している書影は、すべて 2024 年 8 月現在の最新版、教科書／問題集シリーズは 2024 年度版のものとなります。
※書籍のお求めは全国の書店・インターネット書店、またはネットスクール WEB-SHOP をご利用ください。

ネットスクールWEB講座 合格者の声

ネットスクールで見事！合格を勝ち取った受講生様からのお言葉を紹介いたします。

イトウ　ハルカ様（20代女性／学生）　第72回試験／消費税法合格

私は他の予備校と併用する形で受講させていただいたのですが、画面を通しての講義でも質問などに親身に対応してくれてとても勉強しやすかったです。また、常に前向きな言葉をかけてくださる所にもとても勇気をもらいました。

　勉強方法については、学生で本業の学業も手を抜くことができないため、試験勉強は、毎日何時から何をするかの計画を立てて勉強しました。また、直前期は毎日総合問題を解き、問題解答のフォームやルーティーンを定着させるようにしました。直前期は複数の予備校の直前対策問題を解くようにしましたが、ネットスクールの教材は、特に予想問題が主要論点を抑えつつ初見の問題もあったため何度も活用させていただきました。

　YouTubeの解答速報を拝見し、丁寧な解説と勇気をもらえるような言葉を伝えてくれるネットスクールに興味を持ち、複数の科目を受講しましたが、丁寧な解説、教材、出題予想で本当に助かりました。受講してよかったです。

Y・K様（30代男性／一般会社勤務）　第72回試験／相続税法合格

相続税法の受験は3回目となりますが過去2回不合格となった際には、計算・理論共に基本論点で解答できておりませんでした。そのため、基本論点を見直し、ネットスクールの参考書や問題集を何度も回転させて記憶の定着を図りました。

　また、単なる暗記ではなく理解力も伸ばさなければ本番の試験には対応できないので、制度の概要やなぜその制度が創設されたのかといった背景を理解することも重視しておりました。ネットスクールでは講義が分かりやすく、何度も気になったところは再生できるので納得いかないところは何度も視聴して理解することを心がけておりました。

　最後になりますが、試験直前になるとSNS等で他校の生徒が高得点を取った情報や理論予想などの投稿を目にすることがありますが、そのような情報に惑わされずにまずはネットスクールのカリキュラムをしっかりと消化してその中での問題は確実に解けるようにすることが非常に重要だと思いました。実際に相続税法の理論では、ネットスクールで出題されたところを完璧に理解しておりましたので、他校の理論の出題ランクは低い論点でしたがしっかりと点数を取ることが出来ました。

　これからは法人税法・消費税法の合格を目指して引き続きネットスクールにお世話になろうと考えております。引き続きどうぞよろしくお願いいたします。

M・S様（50代男性／一般会社勤務）第71回試験／国税徴収法・官報合格

以前は独学で市販の理論集や問題集を購入して勉強していましたが、配当額の計算でどうしてこのような計算結果となるのか、いまひとつ理解できないところもあり、本試験でも配当額を間違えて計算してしまったことから、その年度は残念ながら不合格となりました。

その後、国税徴収法のテキストを探していたところ、ネットスクールの通信講座を知り、もう一度勉強しなおそうと思い立ち、受講を決めました。

実際に講義を受けてみると、これまで理解が不完全だった「なぜこうなるのか」がすっきりと理解でき、まさに目からウロコが落ちる、という体験でした。

理論は、試験に直結する重要度が高いものに加え、「これは覚えておくべき」と自分が判断したものを全部暗記し、2〜3日間で一回転するやり方で精度の向上に努めました。ただ単に暗記するだけではなく、横のつながりを意識することが大切だと思いましたので、どことつながっているのかもいっしょに覚えるようにしました。

答練は、通信講座のなかの問題と過去問で練習を繰り返しました。「ラストスパート模試」は過去8年分と模擬試験4回分が収録されていましたので、これだけでも練習量としては充分だったと思います。答案の書き方自体もあまりよく知らず、以前は隙間なくビッシリと書いていましたので、適度にスペースを空ける書き方を教えてもらったことも受講してよかった、と思いました。

おかげさまで国税徴収法に合格することができました。ありがとうございました。

S・K様（40代男性）第72回試験／法人税法・官報合格 ✻

この度、ようやく官報合格となりました。これまでにお世話になった先生方、本当に本当にありがとうございました。私は他校の受講経験がなく比較することはできませんが、一番ありがたかったのは「学び舎」です。理解力不足や勘違いで何度もくだらない質問をしましたが、すぐに丁寧に詳しく解説を頂けたことが合格に結び付いたと確信しています。

受験勉強で私が一番苦労したのは、何と言っても勉強時間の確保です。仕事との両立はやはり厳しく、平日夜はほぼ時間がとれないため、毎朝3時に起床し朝に勉強するというスタイルで、1日約3〜4時間は勉強に充てていました。主な1日のスケジュールは、朝は計算メインの勉強、通勤時間は車の中で、自分が吹き込んだオリジナル理論音声を聞きながらブツブツ念仏を唱え、昼休みは理論集の暗記、ベッドに入って寝るまでの時間も理論集の暗記といった内容でした。

私の理論暗記法は、短期間で繰り返し理論集を何回転もさせるやり方です。最初は重要語句を暗記ペンでマーカーし、覚えたら次の理論という感じでどんどん進めていき、少しずつ暗記ペンでマーカーした部分を増やしていきます。30〜40回転目になると、ほとんどマーカーした状態になり、その頃からは、理論集を見ずに暗唱し、つまれば理論集を見て確認するというやり方に徐々にシフトしていきます。この方法は職場の先輩から教えてもらったもので、前回受験した国税徴収法と今回受験した法人税法はこの方法でほぼ全部暗記しました。直前期は数日で1回転できるようになり、最終的には60回転くらいさせたと思います。理論暗記に悩んでいる人にはお勧めです。

税理士試験はかなり長い年数を勉強に費やすことになり、それに比例して犠牲にしなければならないことも多いと思います。私も何度も諦めそうになりました。しかし、なんとか踏みとどまり、ネットスクールを信じて諦めずに継続したことで、5科目合格することができました。

税理士WEB講座の詳細はホームページへ　**ネットスクール株式会社 税理士WEB講座**

https://www.net-school.co.jp/　ネットスクール 税理士講座 検索

税理士試験とは
試験概要

【試験科目】

税理士試験は、会計科目2科目・税法科目9科目の全11科目あります。このうち、会計科目2科目と税法科目3科目(選択必須科目1科目以上を含む)の合計5科目に合格する必要があります。1度の受験で5科目全てに合格する必要はなく、1科目ずつ受験することもできます。なお、1度合格した科目は生涯有効となります。

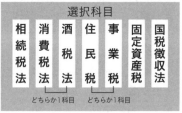

【試験日】

通常、8月第1又は第2週の火曜日〜木曜日に実施されます。

【合格点・合格発表】

合格基準点は各科目とも満点の60パーセントです。合格発表は11月下旬になります。

その他、税理士試験の詳細については、国税庁ホームページをご覧下さい。

https://www.nta.go.jp/index.htm
国税庁ホームページ ▶ 税の情報・手続・用紙 ▶ 税理士に関する情報 ▶ 税理士試験

本書シリーズ
法令等の改正情報の公開について

本書税理士シリーズについて、法令等の改正や会計基準等の変更があった場合には、改正・変更に関する情報を公開いたします。

https://www.net-school.co.jp/
読者の方へ ＞ 税理士試験／科目 ＞ 改正情報

凡例(略式名称……正式名称)

法……相続税法　　　令……相続税法施行令　　　規……相続税法施行規則
措法……租税特別措置法　　　措令……租税特別措置法施行令
基通……相続税法基本通達　　　個通……相続税法個別通達
評通……財産評価基本通達
措通……租税特別措置法関係通達

引用例

法19の2①一イ……相続税法第19条の2第1項第一号イ

（注）　本書は、令和6年（2024年）4月1日現在施行されている法令等に基づき作成しています。

Chapter 1

相続時精算課税

Section 1 相続時精算課税制度

この制度は、相続税と贈与税の一体課税を目的とした「生前相続」制度です。

この Section では、相続時精算課税制度について学習します。

1 概要

➤➤問題集 問題1～3

高齢化社会を迎えた我が国において高齢者の保有する資産活用が滞ることによる経済の減退が懸念される中、早めの次世代への資産の移転を容易にするために相続時精算課税制度は創設*01)されました。

従来は、税負担の重い生前贈与を避け、相続の機会を待って資産の移転が行われてきました。

そこで、生前贈与を相続の前倒し(生前相続)と考え、その贈与税はあくまで相続税の概算払いとし、実際に相続が開始した時においてはその相続税の概算払いである贈与税を、相続税から控除するという方式をとることにより、相続税と贈与税の一体課税を実現しました。

これにより、生前贈与であっても実質的な税負担は相続税と同じであることから、早期の資産移転が期待できるようになります。

*01) 暦年課税の贈与税は相続税よりも税負担が重いため、例えば、親から30,000千円の贈与を受けた場合には、10,355千円もの贈与税を払うこととなり贈与を躊躇するかもしれません。しかし、相続時精算課税であれば、780千円の贈与税だけで済むため、子・孫への贈与を積極的に行う機会が増えることが期待されます。

<図 解>

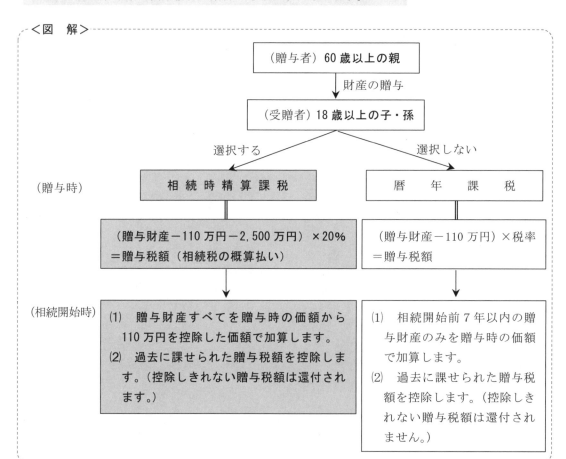

（贈与者）60歳以上の親

↓ 財産の贈与

（受贈者）18歳以上の子・孫

選択する　　　　　　　　選択しない

（贈与時）

相続時精算課税　　　　　　暦年課税

（贈与財産－110万円－2,500万円）×20% ＝贈与税額（相続税の概算払い）

（贈与財産－110万円）×税率 ＝贈与税額

（相続開始時）

(1) 贈与財産すべてを贈与時の価額から110万円を控除した価額で加算します。
(2) 過去に課せられた贈与税額を控除します。（控除しきれない贈与税額は還付されます。）

(1) 相続開始前7年以内の贈与財産のみを贈与時の価額で加算します。
(2) 過去に課せられた贈与税額を控除します。（控除しきれない贈与税額は還付されません。）

Ch 1

Ch 2

Ch 3

Ch 4

Ch 5

Ch 6

Ch 7

Ch 8

Ch 9

Ch 10

2 適用要件等（法21の9、措法70の2の6）

1．適用対象者

	年　　　齢		贈与者との関係
贈 与 者 〔特定贈与者〕	贈与年1月1日 における年齢	60歳以上	
受 贈 者 〔相続時精算 課税適用者〕		18歳以上[01]	・贈与者の推定相続人 である直系卑属 ・贈与者の孫

<適用対象となる受贈者の範囲>

① 贈与者の推定相続人[02]である直系卑属（法21の9）

　平成15年1月1日以後の贈与から適用されます。

② 贈与者の孫（措法70の2の6）

　平成27年1月1日以後の贈与から適用されます。

2．適用財産

財産の種類、金額及び贈与回数に制限はありません。[03]

3．選択手続

⑴ 相続時精算課税の適用を受けようとする者は、贈与を受けた年の翌年3月15日まで[04]に納税地の所轄税務署長に相続時精算課税を選択する旨の届出書（相続時精算課税選択届出書）を提出しなければなりません。[05]

⑵ 相続時精算課税適用者は、届出書に係る年分以後は特定贈与者からの贈与については特定贈与者の死亡の年まで相続時精算課税が継続適用されます。　➔　選択届出後の撤回はできません。[06]

⑶ 贈与者である直系尊属ごとに選択可能です。[07]

<図　解>

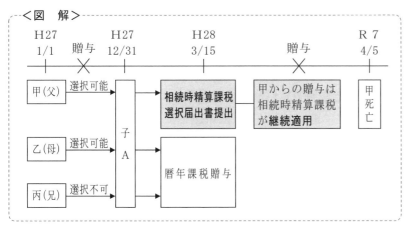

*01) 民法改正に伴い、令和4年4月1日以後の贈与から18歳以上となりました。

*02) 推定相続人とは、贈与者が死亡した場合にその相続権（代襲相続権を含みます）を有することとなる者のことをいいます。

*03) 次世代への財産早期移転を目的としているため、財産の種類などについて制限は設けていません。

*04) 贈与税の申告書の提出期限までです。

*05) 相続時精算課税は暦年課税との選択適用ですので、相続時精算課税の適用を受ける場合には届出が必要となります。この届出書を提出した者のことを「相続時精算課税適用者」といい、贈与をした者を「特定贈与者」といいます。

*06) いったん相続時精算課税の選択をすると、特定贈与者からの贈与については暦年課税に戻すことはできません。

*07) 受贈者である子Aは、父からの贈与について相続時精算課税を選択し、母からの贈与については暦年課税を選択することができます。

贈与税額の計算（相続時精算課税）

相続時精算課税の贈与税額は、実質的には相続税額の概算払いの計算です。

この Section では、相続時精算課税の贈与税額の計算について学習します。

1　贈与税額の計算方法

1．特定贈与者からの贈与財産の計算

　　特定贈与者からの生前贈与は相続の前倒し（生前相続）と考えて、相続税の概算払いとしての贈与税額を計算します。

　　この場合、贈与税の課税価格の計算は暦年課税による贈与税額の計算と同様ですが、適用税率については超過累進税率ではなく、一律20%となります。

　　また、20%の税率を乗じる前に特別控除額2,500万円*01)を控除することができます。

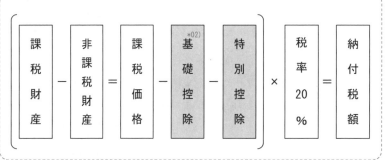

<贈与税額の計算の流れ>

課税価格	特定贈与者からの贈与財産のみを合計（非課税控除後）
基礎控除額	110万円
特別控除額	2,500万円（限度額に達するまで複数年にわたり使用可）
税　　率	一律20%

（注）　相続開始年分の被相続人からの贈与は申告不要です。*03)

2．特定贈与者以外から受けた財産の計算（暦年課税）

課税価格	特定贈与者以外の者からの贈与財産の合計（非課税控除後）
基礎控除額	110万円
税　　率	10%〜55%の超過累進税率

3．1＋2＝納付税額

*01) 特別控除額2,500万円とは、4人家族をモデルケースとした場合の相続税の旧基礎控除額（5,000万円＋1,000万円×3人＝8,000万円）を一人当たりに換算した金額が約2,666万円となることから設定された金額です。つまり、特別控除は相続税の基礎控除の前倒しです。

*02) 令和6年1月1日以後贈与により取得した財産から110万円の基礎控除額が適用されます。

*03) 暦年課税の場合には相続開始年分の被相続人からの贈与を非課税としていますが、相続時精算課税は「特定贈与者から取得した財産は贈与税の課税価格とする。」（法21の10）と規定しているため、「申告不要」としています。結論は相続開始年分の相続時精算課税に係る贈与税は課税されませんが、相続税の課税対象となります。

【基本算式】

(1) 相続時精算課税分

特定贈与者ごとに、かつ、受贈者ごとに合計して計算します。

$$\left(\begin{array}{l}1暦年中に特定贈与者から取得 \\ した贈与財産の価額の合計額\end{array} - \begin{array}{c}基礎控除額 \\ 110万円\end{array} - \begin{array}{c}特別控除額 \\ 2,500万円^{(注)}\end{array}\right) \times \begin{array}{c}税 率 \\ （20\%）\end{array} = \begin{array}{c}その年分の \\ 贈与税額\end{array}$$

(注) 既控除額がある場合には、残額(2,500万円−既控除額)となります。

(2) 暦年課税分

$$\left(\begin{array}{l}他の者からのその年中における \\ 贈与財産の価額の合計額\end{array} - 110万円\right) \times 超過累進税率 = その年分の贈与税額$$

(3) (1)＋(2)＝その年分の納付すべき贈与税額

設例2−1　　　　　　　　　　　　　　　　　　　贈与税額の計算（相続時精算課税）

次の資料により子A（35歳）の令和5年分及び令和7年分の納付すべき贈与税額を求めなさい。

1　子Aが令和5年中に贈与により取得した財産

(1) 父甲からの贈与　　　宅　地　　　15,000千円

子Aは父甲からの贈与につき相続時精算課税選択届出書を提出している。

(2) 母乙からの贈与　　　株　式　　　10,000千円

(3) 祖父丙からの贈与　　動　産　　　5,000千円

2　子Aが令和7年中に贈与により取得した財産

(1) 父甲からの贈与　　　株　式　　　20,000千円

(2) 母乙からの贈与　　　現　金　　　3,000千円

解　答　　　　　　　　　　　　　　　　　　　　　　　　　　　　　（単位：千円）

1　令和5年分の納付すべき贈与税額

(1) 甲からの贈与

$15,000 - {}^{※}15,000 = 0$

※　$15,000 \leqq 25,000$　∴　15,000

(2) 甲以外の者からの贈与

$(10,000 + 5,000 - 1,100) \times 40\% - 1,900 = 3,660$

(3) (1)＋(2)＝3,660

2　令和7年分の納付すべき贈与税額

(1) 甲からの贈与

$(20,000 - 1,100 - {}^{※}10,000) \times 20\% = 1,780$

※　$20,000 - 1,100 = 18,900 > 25,000 - 15,000 = 10,000$　∴　10,000

(2) 甲以外の者からの贈与

$(3,000 - 1,100) \times 10\% = 190$

(3) (1)＋(2)＝1,970

4. 特定贈与者が2人以上いる場合

同一年中に、2人以上の特定贈与者からの贈与により財産を取得した場合の基礎控除額110万円は、特定贈与者ごとの贈与税の課税価格であん分します。

設例2-2	贈与税額の計算（相続時精算課税）

次の資料により子B（25歳）の令和7年分の納付すべき贈与税額を求めなさい。

1 子Bが令和7年中に贈与により取得した財産

(1) 父甲からの贈与　　宅　地　　30,000千円

子Bは父甲からの贈与につき相続時精算課税選択届出書を提出している。

(2) 母乙からの贈与　　株　式　　10,000千円

子Bは母乙からの贈与につき相続時精算課税選択届出書を提出している。

解 答	（単位：千円）

(1) 甲からの贈与

$(30,000-（※1）825-（※2）25,000) \times 20\% = 835$

$$（※1）\quad 1,100 \times \frac{30,000}{30,000+10,000} = 825$$

（※2）　30,000-825=29,175 ＞ 25,000　　∴　25,000

(2) 乙からの贈与

$10,000-（※3）275-（※4）9,725 = 0$

$$（※3）\quad 1,100 \times \frac{10,000}{30,000+10,000} = 275$$

（※4）　10,000-275=9,725 ≦ 25,000　　∴　9,725

(3) (1)+(2)=835

Section 3 相続税額の計算（相続時精算課税）

「生前相続」された贈与財産は贈与者の死亡時に相続税が必ず課税されます。

この Section では、相続時精算課税の相続税額の計算について学習します。

1 相続税額の計算

1．概　要

(1)　特定贈与者に相続が発生した場合には、相続税の課税価格に
相続時精算課税を適用した贈与財産（相続時精算課税適用財産）
の贈与時の価額を加算して相続税額を計算します。

(2)　相続時精算課税を適用した贈与財産に係る贈与税額[*01]については、
相続税額（税額控除後の差引税額）から控除します。この場合に、
相続税額から控除しきれない金額がある場合には還付されます。

*01）相続時精算課税による贈与
税は相続税の概算払いとし
ているため、払い過ぎていた
税額は相続税の申告により
還付されます。

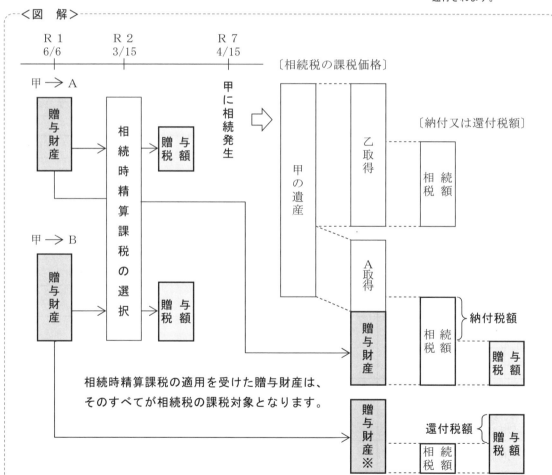

＜図　解＞

相続時精算課税の適用を受けた贈与財産は、
そのすべてが相続税の課税対象となります。

※　相続時精算課税の適用を受けた贈与財産がある場合には、<u>被相続人から相続又は遺贈により
財産を取得しなかった者</u>であっても相続税の納税義務者となります。この場合の納税義務者の
ことを「**特定納税義務者**」といいます。

2．相続税額の計算方法（法21の14、15）

相 続 税 の 課 税 価 格	(1) 相続時精算課税適用財産を贈与時の価額から基礎 控除額を控除した残額[*02] (2) 債務控除前に加算
贈与税額控除 （相続時精算課税分）	(1) 課せられた贈与税額（相続税の概算払い）を控除 (2) 差引税額（全ての税額控除後の税額）から控除

[*02] 相続時精算課税適用財産は相続時に再課税されるものですので基礎控除額控除後の金額で加算します。また、生前相続による財産という性質から相続・遺贈財産と同様に債務控除も可能です。

3．課税価格の計算（表示例）

特定納税義務者

各人の課税価格　　　　　　　　　　　　　　（単位：千円）

区　　　分 ＼ 相続人等	配偶者乙	子　A	子　B	計
相続又は遺贈による取得財産	××××	××××		
みなし取得財産				
相続時精算課税適用財産		××××	××××	
債　務　控　除	△　×××	△　×××		
生前贈与加算		××××	××××	
課　税　価　格	××××	××××	××××	××××

基礎控除額控除後の金額

4．納付税額の計算（表示例）

各人の納付税額の計算　　　　　　　　　　　（単位：円）

		配偶者乙	子　A	子　B	計
算　出　税　額		×××	×××	×××	×××
相 続 税 額 の 加 算 額					
税額控除項目	贈与税額控除額 （暦年課税分）		△ ×××	△ ×××	
	配偶者の税額軽減額	△ ×××			
	未 成 年 者 控 除 額				
	障 害 者 控 除 額		△ ×××		
差　引　税　額		×××	×××	×××	
贈 与 税 額 控 除 額 （相続時精算課税分）			△ ×××	△ ×××	
納付税額（百円未満切捨）		×××	×××		
還付税額（円未満切捨）				△ ×××	

控除しきれない税額は還付

次の資料により各人の生前贈与加算額、相続時精算課税適用財産の額及び暦年課税分、相続時精算課税分の贈与税額控除額を求めなさい。

1　被相続人甲は令和７年３月22日に死亡した。配偶者乙及び二男Ｂは、相続又は遺贈により財産を取得しているが、長男Ａは相続又は遺贈により財産を取得していない。

被相続人甲　　　　　　┬── 長男Ａ（50歳）

配偶者乙（75歳）　　　└── 二男Ｂ（45歳）

2　各相続人等が被相続人甲から生前に贈与を受けていた財産は次のとおりである。

贈 与 年 月	受 贈 者	贈 与 財 産	贈与時の価額	相続開始時の価額
令和４年７月	長 男 Ａ	宅 地	20,000千円	18,000千円
令和４年10月	配偶者乙	株 式	15,000千円	12,000千円
令和５年９月	長 男 Ａ	宅 地	40,000千円	42,000千円
令和６年５月	二 男 Ｂ	株 式	5,000千円	6,000千円
令和６年12月	配偶者乙	宅 地	28,000千円	25,000千円
令和７年２月	二 男 Ｂ	宅 地	30,000千円	31,000千円

（注）1　長男Ａは令和５年分の贈与につき相続時精算課税の適用を受けている。

　　　2　配偶者乙は令和６年分の贈与につき贈与税の配偶者控除の適用を受けている。

　　　3　二男Ｂは令和７年分の贈与につき相続時精算課税の適用を受けることとしている。

解答　　　　　　　　　　　　　　　　　　　　　　　　　　　　　　　（単位：千円）

1　配偶者乙

　⑴　生前贈与加算額

　　①　令和４年分　15,000

　　②　令和６年分　28,000－※20,000＝8,000　　※　28,000 ≧ 20,000　　∴　20,000

　　③　①＋②＝23,000

　⑵　贈与税額控除額（暦年課税分）

　　①　令和４年分　（15,000－1,100）×45％－1,750＝4,505

　　②　令和６年分　（28,000－20,000－1,100）×40％－1,250＝1,510

　　③　①＋②＝6,015

2　長男Ａ

　⑴　生前贈与加算額

　　　令和４年分　20,000

　⑵　相続時精算課税適用財産の額

　　　令和５年分　40,000

　⑶　贈与税額控除額（暦年課税分）

　　　令和４年分　（20,000－1,100）×45％－2,650＝5,855

　⑷　贈与税額控除額（相続時精算課税分）

　　　令和５年分　（40,000－※25,000）×20％＝3,000　　※　40,000 ＞ 25,000　　∴　25,000

3　二男B

　　⑴　生前贈与加算額

　　　　令和6年分　　5,000

　　⑵　相続時精算課税適用財産の額

　　　　令和7年分　　30,000−1,100＝28,900

　　⑶　贈与税額控除額（暦年課税分）

　　　　令和6年分　　(5,000−1,100)×15％−100＝485

　　⑷　贈与税額控除額（相続時精算課税分）

　　　　令和7年分　　相続開始年分の贈与は申告不要

解説

①　本問の場合、被相続人甲から相続又は遺贈により財産を取得していない相続時精算課税適用者である長男Aが特定納税義務者となります。

　　したがって、令和4年分の贈与は生前贈与加算の対象となります。

②　相続開始年分の贈与に係るコメントについては暦年課税と相続時精算課税で異なります。

イ　暦年課税：「相続開始年分の贈与は非課税」

ロ　相続時精算課税：「相続開始年分の贈与は申告不要」

相続税の課税価格の計算

5．各人の課税価格				（単位：円）
区　分　＼　相続人等	配偶者乙	長　男　A	二　男　B	計
相 続 に よ る 取 得 財 産	100,000,000		40,000,000	
相続時精算課税適用財産		40,000,000	28,900,000	
生 前 贈 与 加 算	23,000,000	20,000,000	5,000,000	
課 税 価 格	123,000,000	60,000,000	73,900,000	256,900,000

納付すべき相続税額の計算

1．各人別の相続税額の計算				（単位：円）
区　分　＼　相続人等	配偶者乙	長　男　A	二　男　B	計
算 出 税 額				
贈 与 税 額 控 除 額（ 暦 年 課 税 分 ）	△　6,015,000	△　5,855,000	△　　485,000	
差 引 税 額				
贈 与 税 額 控 除 額（ 相 続 時 精 算 課 税 分 ）		△　3,000,000	―	
納付税額／還付税額				

2　他規定との関連

1．遺産に係る基礎控除

　　相続時精算課税適用財産を加算した後の課税価格の合計額[*01]から控除します。

*01) 相続時精算課税適用財産は相続や遺贈と同じ取得原因とみなすことから、相続税の課税価格を構成します。

2．債務控除

特定納税義務者の住所[*02]	取り扱い
法施行地内の住所の場合	無制限納税義務者と同様です。
法施行地外の住所の場合	制限納税義務者と同様です。

*02) 相続時精算課税適用財産からは債務控除が可能であるため、その取り扱いについては住所により区分しています。

3．相続税額の加算

　→　相続時精算課税適用時は一親等の血族であった場合[*03]

*03) 養子が相続時精算課税に係る贈与を受けた後、養子縁組を解消し、相続開始時においては一親等の血族ではなくなっている場合です。

【基本算式】

① 算出相続税額 × $\dfrac{\text{一親等の血族であった期間内に特定贈与者から取得した財産の価額} - \text{基礎控除額}}{\text{相続税の課税価格に算入された財産の価額}}$

② （算出相続税額 − ①）× $\dfrac{20}{100}$ ＝ ２割加算額

―＜具体例＞―

　　次の資料によりＡの相続税額の加算額を求めなさい。なお、Ａは被相続人甲の姉の子であり、被相続人甲と養子縁組を行っていたが、相続開始時においては養子縁組を解消している。

1　Ａの算出相続税額　　　　5,000,000円

2　相続税の課税価格　　　40,000,000円[(注)]

(注)　40,000,000円のうち10,000,000円はＡが養子縁組後に甲から贈与を受けて、相続時精算課税の選択をした金額である。

（解　答）

(1)　$5,000,000円 \times \dfrac{10,000,000円 - 1,100,000円}{40,000,000円} = 1,112,500円$

(2)　$(5,000,000円 - 1,112,500円) \times \dfrac{20}{100} = 777,500円$

4．障害者控除

区　分	適用の有無	
居住無制限納税義務者	適用あり	
非居住無制限納税義務者	適用なし	
居住制限納税義務者	適用なし	
非居住制限納税義務者	適用なし	
特定納税義務者[*04]	国内に住所を有する者	適用あり
	国外に住所を有する者	適用なし

*04) 国内に住所を有する特定納税義務者にも適用があります。

【暦年課税と相続時精算課税との比較】

	暦 年 課 税 贈 与	相続時精算課税贈与
目　　　　　的	生前贈与の抑制	生前贈与の促進
特　　　　　徴	相続税よりも重い税負担	相続税と同等の税負担
贈　　与　　者	・一般贈与財産　→　要件なし ・特例贈与財産　→　直系尊属	・60歳以上の者
受　　贈　　者	・一般贈与財産　→　要件なし ・特例贈与財産　→　直系卑属 　　　　　　　　　（※18歳以上）	・※18歳以上の者 ・贈与者の推定相続人である直系卑属 ・贈与者の孫
贈与税額の計算	・基礎控除額110万円 ・超過累進税率	・基礎控除額　　110万円 ・特別控除額2,500万円 ・定率（20%）
相続税の課税価格	相続開始前3年以内の贈与財産	相続時精算課税選択届出書を提出した 年分以後のすべての贈与財産
還　付　制　度	なし	あり

※　民法改正に伴い、令和4年3月31日以前の贈与は20歳以上でした。

相 続 時 精 算 課 税 選 択 届 出 書

○「相続時精算課税選択届出書」は、必要な添付書類とともに**申告書第一表及び第二表と一緒に提出してください。**

税務署受付印		受贈者	住 所 又は 居 所	〒 電話(－ －)
令和___年___月___日			フリガナ	
_____税務署長			氏 名 (生年月日)	(大・昭・平 年 月 日)
			特定贈与者との続柄	

　私は、下記の特定贈与者から令和_____年中に贈与を受けた財産については、相続税法第21条の9第１項の規定の適用を受けることとしましたので、下記の書類を添えて届け出ます。

記

1　特定贈与者に関する事項

住 所 又は居所	
フリガナ	
氏 名	
生年月日	明・大・昭・平 年 月 日

2　年の途中で特定贈与者の推定相続人又は孫となった場合

推定相続人又は孫となった理由	
推定相続人又は孫となった年月日	令和 年 月 日

（注）孫が年の途中で特定贈与者の推定相続人となった場合で、推定相続人となった時前の特定贈与者からの贈与について
　　　相続時精算課税の適用を受けるときには、記入は要しません。

3　添付書類

次の書類が必要となります。

なお、贈与を受けた日以後に作成されたものを提出してください。

（書類の添付がなされているか確認の上、□に✔印を記入してください。）

□　**受贈者や特定贈与者の戸籍の謄本又は抄本**その他の書類で、次の内容を証する書類
（１）　受贈者の氏名、生年月日
（２）　受贈者が特定贈与者の直系卑属である推定相続人又は孫であること

（※）１　租税特別措置法第70条の６の８（（個人の事業用資産についての贈与税の納税猶予及び免除））の適用を受ける
　　　　　特例事業受贈者が同法第70条の２の７（（相続時精算課税適用者の特例））の適用を受ける場合には、「(1)の内容
　　　　　を証する書類」及び「その特例事業受贈者が特定贈与者からの贈与により租税特別措置法第70条の６の８第１
　　　　　項に規定する特例受贈事業用資産の取得をしたことを証する書類」となります。
　　　２　租税特別措置法第70条の７の５（（非上場株式等についての贈与税の納税猶予及び免除の特例））の適用を受け
　　　　　る特例経営承継受贈者が同法第70条の２の８（（相続時精算課税適用者の特例））の適用を受ける場合には、「(1)
　　　　　の内容を証する書類」及び「その特例経営承継受贈者が特定贈与者からの贈与により租税特別措置法第70条の
　　　　　７の５第１項に規定する特例対象受贈非上場株式等の取得をしたことを証する書類」となります。

（注）この届出書の提出により、特定贈与者からの贈与については、特定贈与者に相続が開始するまで
　　　相続時精算課税の適用が継続されるとともに、その贈与を受ける財産の価額は、相続税の課税価格に
　　　加算されます（**この届出書による相続時精算課税の選択は撤回することができません。**）。

作成税理士		電話番号	

※	税務署整理欄	届 出 番 号	－	名 簿					確認	

※欄には記入しないでください。

（資５－４２－Ａ４統一）（令4.12）

········ *Memorandum Sheet* ········

Chapter 2

相続税の課税価格Ⅱ

みなし相続財産 2

基礎導入編の Chapter 4 では生命保険金等などの課税関係について学習しました。
この Section では、みなし相続財産について追加学習します。

1 生命保険金等及び退職手当金等の課税関係

➤➤問題集 問題1

1. 保険金受取人の意義等（基通3－11、基通3－12）

```
保険金受取人 ─┬─ 保険証券に記載された契約上の保険金受取人*01)
              │
              └─ 契約上の保険金受取人以外の者*02)
```

2. 保険金とともに支払を受ける剰余金等（基通3－8）

保険事故の発生により保険金とともに保険金受取人が取得する「剰余金・割戻金、前納保険料」は、保険金等として課税されます。

$$※保険金等 \times \frac{被相続人が負担した保険料の金額}{払込保険料の全額} = 相続税の課税対象$$

※　剰余金・割戻金*03)、前納保険料を加算します。

3. 契約者貸付金等がある場合（基通3－9）

⑴　契約者貸付金等の意義

次に掲げる金額（元利合計金額）を契約者貸付金等といいます。

【契約者貸付金】*04)

生命保険契約に係る保険契約者は、その保険契約の解約返戻金の金額の範囲内で保険会社から金銭の貸し付けを受けられることになっていますが、この貸付金を契約者貸付金といいます。

【保険料の振替貸付に係る貸付金】*05)

保険約款に定めた猶予期間中（通常、年払い、半年払いでは払込期日の翌日から2か月、月払いでは払込期日の翌月末日まで）に保険料の払込がない場合に、保険契約を有効に継続させるため保険会社が一時的に立替払いをした保険料充当額です。

【未払込保険料】*05)

上記猶予期間中に保険事故が発生した場合の保険料です。

*01) たとえば保険金受取人の妻が子の事業資金を工面するため子に保険金を取得させた場合には、妻に相続税が課税され、さらに妻から子への贈与があったとされて贈与税が課税されます。

*02) 保険金受取人が保険事故の発生前に死亡し、受取人の変更を失念していた場合に、その受取人の相続人たちが保険金を取得したときは、その取得した相続人たちが課税対象者となります。

*03) 剰余金や割戻金とは保険料の運用益による保険会社などからの分配金のことです。

*04) 契約者貸付金は保険会社からみた場合の金銭債権で、契約者からみれば保険会社からの借入金です。

*05) 保険料の振替貸付に係る貸付金及び未払込保険料は、本来、課税時期までに払い込むべき保険料です。したがって、課税関係を決定する払込保険料として考慮します。

⑵ 保険事故発生時における契約者貸付金等の課税関係

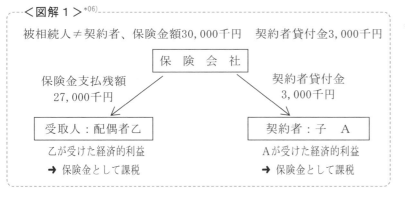

*06) 保険事故発生時に契約者貸付金等がある場合に、保険会社は、契約者貸付金等を控除した残額を受取人に支払います。契約者にとっては、契約者貸付金等につき保険会社への返済・支払い義務が消滅したことによる経済的利益となるため課税されます。

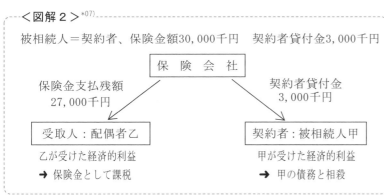

*07) 保険事故発生時に契約者貸付金等がある場合に、被相続人が契約者であるときは、その契約者貸付金等が被相続人の債務であることから、その経済的利益の額とその債務を相殺します。結果、契約者貸付金等の額については課税されないと同時に、その債務控除額もないこととなります。

⑶ 契約者貸付金等に係る課税関係のまとめ

区分 ＼ 取扱い		生命保険金等としての課税金額
被相続人≠契約者(注)	受取人	契約保険金額－契約者貸付金等
	契約者	契約者貸付金等(注)
被相続人＝契約者	受取人	契約保険金額－契約者貸付金等
	契約者	保険会社からの借入金と相殺 ⇒ 課税金額なし

(注) 契約者が受取人である場合には、契約者としての課税金額と受取人としての課税金額との合計額になるため、結果として契約保険金額がそのまま課税金額となります。

<具体例1> 被相続人≠契約者　受取人≠契約者[08]

被保険者である甲の死亡を保険事故として、甲が保険料の全額を負担していた保険金が支払われた場合の相続税の課税関係

被保険者	保険契約者	保険金受取人	契約上の保険金額	契約者貸付金
被相続人甲	配偶者乙	子　　　A	50,000千円	2,000千円

（解　答）

子　　A　50,000千円－2,000千円＝48,000千円

配偶者乙　2,000千円

[08] 保険事故の発生により配偶者乙が負っていた借金がなくなりますので、乙に生命保険金として2,000千円を課税します。ここで計上し忘れると生命保険金の非課税金額が合わなくなりますので要注意です。

<具体例2> 被相続人≠契約者　受取人＝契約者[09]

被保険者である甲の死亡を保険事故として、甲が保険料の全額を負担していた保険金が支払われた場合の相続税の課税関係

被保険者	保険契約者	保険金受取人	契約上の保険金額	契約者貸付金
被相続人甲	子　　　A	子　　　A	50,000千円	2,000千円

（解　答）

子　　A　50,000千円－2,000千円＋2,000千円＝50,000千円

[09] 受取人と契約者が同一人であれば、控除した契約者貸付金等もまた課税されますので、結果的には契約上の保険金額がそのまま課税金額となります。

<具体例3> 被相続人＝契約者[10]

被保険者である甲の死亡を保険事故として、甲が保険料の全額を負担していた保険金が支払われた場合の相続税の課税関係

被保険者	保険契約者	保険金受取人	契約上の保険金額	契約者貸付金
被相続人甲	被相続人甲	子　　　A	50,000千円	2,000千円

（解　答）

子　　A　50,000千円－2,000千円＝48,000千円

[10] 被相続人が契約者である場合には、契約者甲に対する契約者貸付金相当額の保険金の課税と同額の債務とが相殺されます。結果的には保険金受取人のみに対する課税で完結します。

4. 雇用主が保険料を負担している場合 (基通3−17)

⑴ 考え方

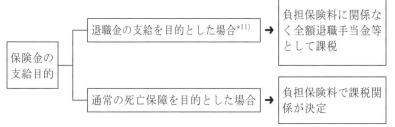

*11) 雇用主が保険料を負担している場合には、支給目的により課税対象財産が異なります。

⑵ 課税関係

雇用主が負担した保険料は、その**従業員が負担**したものとして課税関係を考えます。

	保険事故	受取人	課税関係
①	従業員の死亡*12)	その従業員の相続人その他の者	相続税の課税（法3①一）
②	従業員以外の者の死亡	従業員	相続税・贈与税の課税関係は生じない。（所得税の課税）
③	従業員以外の者の死亡	従業員及びその被保険者以外の者	贈与税の課税（法5①）

*12) 被相続人が保険料を負担していたことになりますので全額相続税の課税対象となります。このパターンのみ押さえておいて下さい。

> **＜具体例＞ 雇用主が負担した保険料**＊13)
>
> 被保険者である甲の死亡を保険事故として、甲が生前勤務していたX社が次の契約（退職金を支給目的とした契約ではない。）を行っていた場合の相続税の課税関係
>
> | 被保険者 | 契約者 | 保険金受取人 | 契約上の保険金額 | 保険料負担者 |
> |---|---|---|---|---|
> | 被相続人甲 | X　社 | 配偶者乙 | 30,000千円 | X社全額 |

*13) 具体例において、退職金を支給目的とした契約の場合には「退職手当金等」に該当します。

（解　答）

　　配偶者乙　30,000千円（生命保険金等）

Ch 1
Ch 2
Ch 3
Ch 4
Ch 5
Ch 6
Ch 7
Ch 8
Ch 9
Ch 10

5．保険金・退職手当金等の取得者が未確定の場合

⑴　保険金の取得者が未確定の場合[*14]

> ➡　本来の受取人が死亡したことに伴う受取人の指定変更を失念していたこと等により、保険金の取得者が未確定である場合には、本来の受取人の各相続人が均等に取得したものとして取り扱います。

*14)　保険法第46条においては、「保険金受取人が保険事故の発生前に死亡したときは、その相続人の全員が保険金受取人となる。」と規定しているだけで、実務的には均等に取得するのが一般的です。本試験において指示がない場合には、本来の受取人の相続人が均等に取得したものとして計算して下さい。具体例のようにAの相続人である妻A′が財産を取得すると、2割加算対象者に該当することにも注意してください。

＜具体例＞

　次の資料により、相続又は遺贈により取得したものとみなされる保険金等の金額を求めなさい。

1　被相続人甲は自動車事故で同乗していた子Aとともに死亡した。

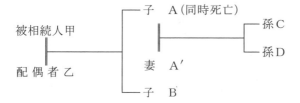

2　被相続人甲の死亡時において次の生命保険契約があった。

被保険者	保険契約者	保険金受取人	契約上の保険金額	保険料負担者
被相続人甲	被相続人甲	配偶者乙	10,000千円	甲全額
被相続人甲	被相続人甲	子　　A	45,000千円	甲全額

（解　答）　　　　　　　　　　　　　　　　（単位：千円）

生命保険金等

乙　　　$10,000-$[注]$5,000=5,000$

$\left.\begin{array}{l}A' \\ C \\ D\end{array}\right\} 45,000\times\dfrac{1}{3}\left\{\begin{array}{l}=15,000 \\ =15,000 \quad 15,000-\text{[注]}7,500=7,500 \\ =15,000 \quad 15,000-\text{[注]}7,500=7,500\end{array}\right.$

（注）　生命保険金等の非課税

⑴　$5,000\times4$人$=20,000$

⑵　$10,000+15,000+15,000=40,000$

⑶　⑴＜⑵　∴　20,000

$\left.\begin{array}{l}乙 \\ C \\ D\end{array}\right\} 20,000\times\left\{\begin{array}{l}\dfrac{10,000}{40,000}=5,000 \\ \dfrac{15,000}{40,000}=7,500 \\ \dfrac{15,000}{40,000}=7,500\end{array}\right.$

A′は相続人でないため適用なし

(2) 退職手当金等の取得者が定まっていない場合(基通3-25)

退職給与規程等の適用の有無等		課 税 対 象 者
退職給与規程等により受給者が定められている場合[15]		支給を受けた者
上記以外	現実に取得者があるとき	現実に取得した者
	相続人全員の協議により受給者を定めたとき	その定められた者
	申告期限まで受給者未定[16]	被相続人のすべての相続人が均等に取得

[15] 退職給与規程に「第1順位は配偶者、第2順位は子、第3順位は直系尊属」等の記載があればそれに従うことになります。

[16] 生命保険金等の取得者が未確定の場合には、本来の受取人の相続人が均等に取得したこととしますが、退職手当金等の取得者が未定の場合には、被相続人の相続人で均等取得となります。

<具体例>

次の資料により、相続又は遺贈により取得したものとみなされる退職手当金等の金額を求めなさい。

1 被相続人甲は勤務会社であるZ社への通勤途中に死亡した。

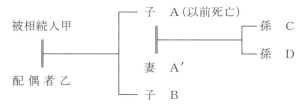

2 Z社から退職手当金30,000千円が支給されているが、相続税の申告期限においても取得者は確定していない。

(解 答)　　　　　　　　　　　　　　　　　　(単位:千円)

退職手当金等

$$乙 \quad B \quad C \quad D \Bigg\} 30,000 \times \begin{cases} \dfrac{1}{4}=7,500 & 7,500-^{(注)}5,000=2,500 \\[6pt] \dfrac{1}{4}=7,500 & 7,500-^{(注)}5,000=2,500 \\[6pt] \dfrac{1}{4}=7,500 & 7,500-^{(注)}5,000=2,500 \\[6pt] \dfrac{1}{4}=7,500 & 7,500-^{(注)}5,000=2,500 \end{cases}$$

(注)　退職手当金等の非課税

(1)　$5,000 \times 4$人$=20,000$

(2)　$7,500 \times 4 = 30,000$

(3)　(1)<(2)　∴　20,000

　　各　$20,000 \times \dfrac{7,500}{30,000}=5,000$

被相続人甲の死亡により相続人等は次の保険金等を取得した。相続又は遺贈により取得したものとみなされる生命保険金等又は退職手当金等の額（非課税金額控除前）を計算しなさい。

	保険金受取人	保険契約者	保険料負担者	契約保険金額	備考
1	配偶者乙	被相続人甲	被相続人甲全額	30,000千円	前納保険料200千円が併せて支払われた。
2	長男A	配偶者乙	被相続人甲全額	50,000千円	契約者貸付金500千円及び利息10千円がある。
3	二男B	二男B	被相続人甲全額	25,000千円	契約者貸付金2,000千円（元利合計額）がある。
4	三男C	被相続人甲	被相続人甲全額	30,000千円	三男Cは被相続人甲と同時死亡である。Cの相続人はCの妻C′と子Dと子Eである。
5	配偶者乙	被相続人甲	Z株式会社	50,000千円	Z社は被相続人甲の生前の勤務会社であり、退職手当金の支給を目的としたものである。

解答
（単位：千円）

1　配偶者乙　30,000＋200＝30,200

2　長男A　50,000－(500＋10)＝49,490
　　配偶者乙　500＋10＝510

3　二男B　25,000－2,000＋2,000＝25,000

4　三男Cの相続人

妻C′、子D、子E　30,000×　$\frac{1}{3}$＝10,000　$\frac{1}{3}$＝10,000　$\frac{1}{3}$＝10,000

5　配偶者乙　50,000（退職手当金等）

解説
① 保険事故の発生により保険金とともに取得する前納保険料は、生命保険金等として課税されます。
② 契約者貸付金等がある場合の保険金の課税対象者及び課税金額は、以下のとおりです。
　イ 保険金受取人 ➡ 契約上の保険金額－契約者貸付金等の額
　ロ 契約者(＝被相続人以外の者) ➡ 契約者貸付金等の額
　ハ 契約者(＝被相続人) ➡ 契約者貸付金等の額は課税されません。
③ 保険金受取人が死亡している場合には、その受取人の相続人が保険金を均分します。
④ 雇用主が負担した保険料は、被相続人が負担したものとします。また、支給目的が退職手当金のため、退職手当金等に該当します。

2 生命保険契約に関する権利の課税関係

1. 概　要*01)

　生命保険契約の契約者には、保険法において「解約に伴う解約返戻金の取得」が認められていますが、これは原則として契約者が保険会社に対して保険料を支払うことを前提としているためです。しかし、実際には契約者以外の者が保険料を負担している場合もあり、このことは、契約者の財産的権利を増加させることにつながっているといえます。

　つまり、契約者は保険料負担者から払込保険料相当額の貯蓄を受けているのと同じであり、契約者により解約が行われた場合には、その解約返戻金の取得という経済的利益を受けることとなります。

　そこで、保険料負担者が保険契約者以外の者である場合において、保険事故発生前にその保険料負担者が死亡したときは、保険契約者がその保険契約を解約した場合に取得するであろう解約返戻金相当額のうち、その被相続人たる保険料負担者の負担部分を被相続人の財産とみなして保険契約者に課税することとしています。

　その経済的利益に対する課税が「生命保険契約に関する権利」です。

*01) 生命保険金の取得と異なり相続によって実際に解約返戻金を受け取るわけではありませんが、相続開始時に保険契約を解約したと仮定した解約返戻金の額につき契約者は相続税の課税を受けてしまいます。

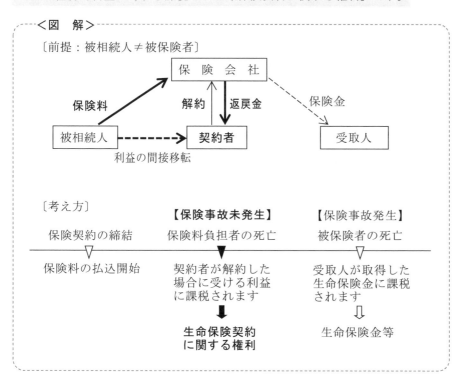

2．課税関係等（法3①三）

課 税 要 件	(1) 被相続人 ≠ 被保険者（保険事故未発生）[*02]
	(2) 被相続人 ＝ 保険料負担者
	(3) 被相続人 ≠ 契約者
課税対象者	契約者
課 税 財 産	生命保険契約に関する権利 $\times \dfrac{被相続人が負担した保険料}{相続開始の時までに払い込まれた保険料の全額}$
取 得 原 因	相続又は遺贈により取得したものとみなします。

*02) 被保険者欄に今回死亡した被相続人以外の者が記載されている場合です。

3．評　価（評通214）

【基本算式】

相続開始時の解約返戻金の額（剰余金等[*03]を含む。） － 源泉徴収される所得税等の額

【コメント】

・掛捨保険[*04]のため評価しない

*03) 保険金とともに支払を受ける剰余金等の取扱いと同じです。☞2-2ページ

*04) 解約返戻金を支払う定めのない保険のことです。

4．契約者に権利課税された後の保険料の取扱い

取得したものとみなされた時以後は、その契約者が自ら保険料を負担したものと同様に取り扱います。

5．被相続人が契約者の場合

〔保険事故発生前（被相続人 ≠ 被保険者）〕

(1) 被相続人が保険料を負担している場合

→ その権利は相続人等が取得した本来の財産[*05]となります。

(2) 被相続人が保険料を負担していない場合

→ 課税関係は生じません。

*05) 財産の名称は「生命保険契約に関する権利」で同じですが、本来の財産となるため表示する場所は、相続財産欄か遺贈財産欄ということになります。

6．債務控除

被相続人 ＝ 契約者（本来の財産となる場合）

→ 契約者貸付金、振替貸付に係る貸付金又は未払込保険料は債務控除の対象となります。[*06]

*06) 債務の負担者については、契約者の地位を引き継いだ者とします。

被相続人甲の死亡時において、まだ保険事故の発生していない次の生命保険契約があった。

各人の相続税の課税価格に算入される金額を計算しなさい。

	被保険者	保険契約者	保険金受取人	契約上の保険金額	保険料負担者及び負担割合	(注)
1	配偶者乙	配偶者乙	子 A	30,000千円	被相続人甲全額	1
2	子 A	子 A	配偶者乙	50,000千円	被相続人甲と子Aで2分の1ずつ	2
3	配偶者乙	被相続人甲	子 A	20,000千円	被相続人甲全額	3
4	子 B	被相続人甲	配偶者乙	10,000千円	被相続人甲全額	4

(注) 1 払込保険料には、払込期日の到来していない保険料500千円がある。相続開始時における解約返戻金の額は5,000千円である(前納保険料は含まれていない)。

2 相続開始時における解約返戻金の額は7,000千円であるが、源泉徴収される所得税等200千円がある。

3 相続人間の協議により配偶者乙が契約者の地位を引継いだ。なお、相続開始時において契約者貸付金1,500千円(元利合計)がある。相続開始時における解約返戻金の額は6,000千円である。

4 この契約は解約返戻金を支払う定めのないものである。

解答

(単位：千円)

1 配偶者乙：生命保険契約に関する権利

$$5,000+500=5,500$$

2 子 A：生命保険契約に関する権利

$$(7,000-200)\times\frac{1}{2}=3,400$$

> 負担保険料あん分を忘れないようにして下さい。

3 配偶者乙：生命保険契約に関する権利(**本来の財産**)

> 「相続人間の協議により…」という問題資料があるため相続財産欄に表示します。

$$6,000$$

(注) 契約者が被相続人甲なので契約者貸付金は、債務控除の対象となります。

4 配偶者乙：掛捨保険のため評価しない

解説

① 前納保険料がある場合には、解約返戻金の額に加算します。

② 源泉徴収される所得税がある場合には、解約返戻金から控除します。

③ 被相続人＝契約者であるため、本来の財産である「生命保険契約に関する権利」に該当します。

④ 「掛捨保険のため評価しない」のコメントは必ず書くようにして下さい。

3 被相続人(甲)の被相続人(父)が負担した保険料（法3②）

被相続人の被相続人が負担した保険料は、被相続人が負担した保険料とみなします。*01)

ただし、生命保険契約の契約者がその被相続人の被相続人から生命保険契約に関する権利を相続又は遺贈により取得したものとみなされた場合においては、その被相続人の被相続人が負担した保険料については、この限りではありません。

*01) 今回死亡の被相続人甲よりも先に死亡した父が保険料を負担していた場合の取扱いです。

<具体例>

被 保 険 者	保険金受取人	保険契約者	保 険 金 額	払込保険料及び保険料負担者
被相続人甲	配 偶 者 乙	被相続人甲	2,000万円	被相続人甲　200万円 父　　　　　200万円

〔保険事故発生時に保険料負担者である父が生存している場合〕

$$2,000万円 \times \begin{cases} \dfrac{200万円（甲）}{200万円＋200万円} = 1,000万円（相続税） \\ \\ \dfrac{200万円（父）}{200万円＋200万円} = 1,000万円（贈与税） \end{cases}$$

〔保険事故発生前に保険料負担者である父が死亡している場合〕

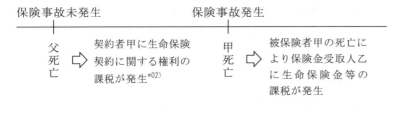

*02) 生命保険契約に関する権利の課税が契約者甲に発生したことにより契約者甲が父負担の保険料を引継ぎます。

$$2,000万円 \times \begin{cases} \dfrac{200万円（甲）}{200万円＋200万円} = 1,000万円（相続税） \\ \\ \dfrac{200万円（父 \to 甲）}{200万円＋200万円}^{*03)} = 1,000万円（相続税） \end{cases}$$

*03) 契約者甲が、父が負担した保険料を負担したものとして課税関係を決定します。

設例1－3　　　　　　　　　　　　　　　　　　　　被相続人の被相続人が負担した保険料

　被相続人甲の死亡により相続人は次の保険金等を取得した。相続又は遺贈により取得したものと
みなされる生命保険金等（非課税金額控除前）を計算しなさい。

	保険金受取人	保険契約者	保険料負担者	契約上の保険金額	備　　考
1	配偶者乙	被相続人甲	被相続人甲 $\frac{1}{2}$ 以前死亡父 $\frac{1}{2}$	50,000千円	掛捨保険契約に該当しない。
2	子　　A	配偶者乙	被相続人甲 $\frac{1}{2}$ 以前死亡父 $\frac{1}{2}$	30,000千円	掛捨保険契約に該当する。

解　答　　　　　　　　　　　　　　　　　　　　　　　　　　　　　　　　（単位：千円）

　　1　配偶者乙：$50,000 \times (\frac{1}{2} + \frac{1}{2}) = 50,000$

　　2　子　　A：$30,000 \times (\frac{1}{2} + \frac{1}{2}) = 30,000$

解　説

①　被相続人甲の被相続人である父が負担した保険料については、生命保険契約に関する権利の課税により契約者甲に引き継がれています。したがって、父負担の保険料1/2については、被相続人甲が負担したものとして相続税の計算をします。

②　被相続人甲の被相続人である父が負担した保険料について、その契約が掛捨保険契約である場合には生命保険契約に関する権利の課税がされないため、保険料の引き継ぎもされないこととなります。

　　したがって、父負担の保険料1/2については、課税漏れを防止する観点から被相続人甲が負担したものとみなして相続税の計算をします。

寄附税制による相続税の非課税財産

被相続人から取得した遺産を国等に寄附した場合には、非課税となります。

このSectionでは、寄附による相続税の非課税財産について学習します。

1 寄附をした財産に係る非課税 (措法70①②③④⑥⑩)

>>問題集 問題3・4

1. 概　要

相続や遺贈による財産の取得直後における寄附は、被相続人の意思等に基づいて行われることが多いこと、所得税や法人税において公益法人等に対する寄附金控除[*01]という制度が認められているため、相続税においても非課税とされています。

*01) 日本では諸外国に比べ寄附文化が定着していないことを踏まえ、税制からサポートしようとするものです。ふるさと納税もその一種と言えます。

2. 国等に寄附（贈与）した場合

	内　　　　容	留 意 事 項
適用財産	相続又は遺贈により取得した財産[*02]	贈与により取得した財産は適用不可
適用期限	相続税の期限内申告書の提出期限（申告期限）[*03]	申告期限後の贈与の場合は適用不可
贈 与 先	国、地方公共団体、特定の公益法人等[*04]、認定NPO法人	宗教法人は適用不可
行　　為	贈与をした場合(注)	設立のための提供の場合は適用不可
適用除外	贈与者やその親族等の税負担が不当に減少する結果となると認められる場合[*05]	最初から非課税の適用不可
非課税の取 消 し	・贈与日から2年を経過した日までに特定の公益法人等に該当しないこととなった場合[*06] ・贈与により取得した財産を同日において公益の用に供していない場合[*07]	非課税取消しとなった場合は納付税額の増額分について修正申告書の提出が必要

*02) 保険金等のみなし取得財産も含まれます。

*03) 相続開始日の10月後の応当日が相続税の申告期限です。

*04) 独立行政法人、日本赤十字社、学校法人、公益社団・財団法人、社会福祉法人などです。

*05) 例えば、贈与者が贈与財産を私的に利用することができる状況下では相続税の税負担が不当減少することになります。

*06) 例えば、2年経過日において認定NPO法人の有効期限が切れている場合です。

*07) 相続税法上の非課税財産である公益事業用財産についても同じ取扱いです。

(注)　国等に低額譲渡した場合にも非課税の適用を受けられます。

この場合、次の金額を非課税とします。

贈与財産の価額－対価の額[*08] ＝措法70の非課税金額

*08) 対価の額については相続税が課税されます。

＜国等に贈与した場合の課税関係＞

(1)　非課税

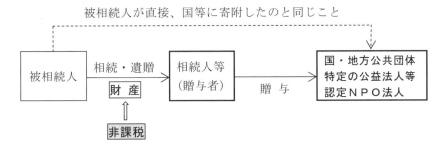

(2)　適用除外

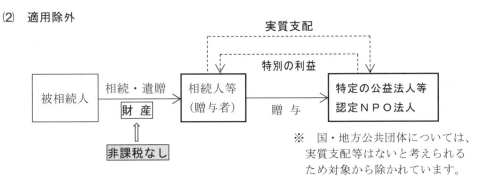

※　国・地方公共団体については、実質支配等はないと考えられるため対象から除かれています。

　　相続人等(贈与者)が贈与先の特定の公益法人等や認定ＮＰＯ法人を実質的に支配している状況等にある場合には、その相続人等の相続税の負担が不当に減少する結果となると認められるため、措置法70条の非課税は適用できません。

(3)　非課税の取消し

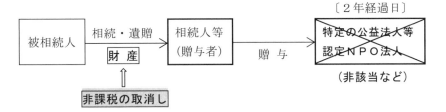

　　措置法70条の非課税に係る贈与をしてから２年経過日までに特定の公益法人等や認定ＮＰＯ法人に該当しなくなった場合等にはその非課税が取り消され、相続人等(贈与者)は贈与をした相続・遺贈財産について課税されます。

3．特定公益信託に金銭を支出した場合

	内　　　容	留 意 事 項
適 用 財 産	相続又は遺贈により取得した財産に属する金銭[09]	贈与により取得した財産に属する金銭は適用不可
適 用 期 限	相続税の期限内申告書の提出期限（申告期限）	申告期限後の支出の場合は適用不可
支 出 先	特定公益信託	―
行 為	支出した場合	―
適 用 除 外	支出者やその親族等の税負担が不当に減少する結果となると認められる場合	最初から非課税の適用不可
非課税の取 消 し	支出日から2年を経過した日までに特定公益信託に該当しないこととなった場合[10]	非課税取消となった場合は納付税額の増額分について修正申告書の提出が必要

*09) 特定公益信託とは、支出者（委託者）が財産の運用等を信託銀行等（受託者）に託して公益目的を果たすものです。最終的に助成金や奨学金として金銭を受益者に交付するため、受入れ財産も金銭に限定しています。

*10) 特定公益信託は、公益目的以外に金銭を運用することがないことから「公益の用に供していない場合」という非課税の取消し事由は規定されていません。

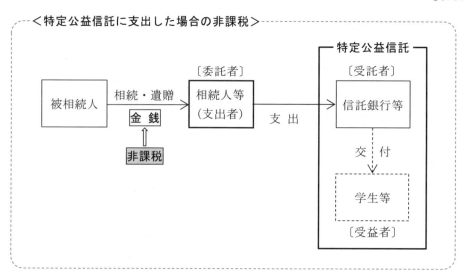

＜特定公益信託に支出した場合の非課税＞

2　申告要件 （措法70⑤⑩）

　　この規定の適用を受ける場合には、相続税の申告書にこの規定の適用を受ける旨を記載し、かつ、所定の書類の提出が必要です。[01]

*01) 措置法70条の非課税の適用を受けることによって納付すべき税額がなくなった場合でも、相続税の申告書を提出する必要があります。

3 生命保険金等の非課税と措置法70条の非課税[01]

*01) 特別法優先の原則に従い、相続税法の特別法である措置法の非課税から優先して計算を行います。

　相続人等が取得した保険金等の一部を相続税の申告期限までに国等に贈与した場合には、生命保険金等の非課税と措置法70条の非課税の両方が適用されます。この場合には、措置法の非課税を優先適用し、その残額について生命保険金等の非課税を適用します。

設例2−1　　　　　　　　　　　　　　寄附税制による相続税の非課税財産

次の資料により、各人の相続税の課税価格に算入される金額を求めなさい。

被相続人甲の死亡に伴い相続人等が取得した生命保険金等は次のとおりである。

⑴　配偶者乙　50,000千円（保険料は被相続人甲と配偶者乙が2分の1ずつ負担）

　　配偶者乙は取得した保険金のうち5,000千円を申告期限までに市に贈与している。

⑵　子　　　A　30,000千円（保険料は被相続人甲が全額負担）

⑶　子　　　B　10,000千円（保険料は被相続人甲が全額負担）

解答

相続又は遺贈によるみなし取得財産価額			（単位：千円）
財産の種類	取得者	計　算　過　程	金　額
生命保険金等	配偶者乙	$50,000 \times \dfrac{1}{2} = 25,000$　　先に保険料負担割合を乗じます	14,000
		$25,000 - {}^{※}5,000 = 20,000$　　※　措法70の非課税	
		$20,000 - {}^{(注)}6,000 = 14,000$	
	子　　A	$30,000 - {}^{(注)}9,000 = 21,000$	21,000
	子　　B		10,000
		（注）　生命保険金等の非課税	
		⑴　$5,000 \times 3$人$= 15,000$	
		⑵　$20,000 + 30,000 = 50,000$	
		⑶　⑴＜⑵　∴　15,000	
		$\left.\begin{array}{c}乙\\[2mm]A\end{array}\right\}\ 15,000 \times \left\{\begin{array}{l}\dfrac{20,000}{50,000}=6,000\\[3mm]\dfrac{30,000}{50,000}=9,000\end{array}\right.$	
		Bは相続人でないため適用なし	

次の資料により、各相続人等の相続税の課税価格に算入すべき金額を求めなさい。

＜資　料＞

被相続人甲の相続に際し、各相続人等が相続又は遺贈により取得した財産は次のとおりである。

１　配偶者乙が相続により取得した財産

　⑴　宅　　　地　　　50,000千円

　　　配偶者乙は、この宅地を相続税の申告期限までに母校の国立Ｔ大学に20,000千円で譲渡している。

　⑵　家　　　屋　　　20,000千円

　⑶　家庭用財産　　　5,000千円（仏だんの価額1,000千円を含む。）

２　子Ａが相続により取得した財産

　⑴　宅　　　地　　　40,000千円

　⑵　株　　　式　　　30,000千円

　　　子Ａは、この株式のうち10,000千円を相続税の申告期限までに社会福祉法人Ｏ会に贈与している。

３　子Ｂが遺贈により取得した財産

　⑴　株　　　式　　　30,000千円

　　　子Ｂは、この株式の売却代金のうち10,000千円を相続税の申告期限までに独立行政法人Ｐ会に贈与している。

　⑵　社　　　債　　　10,000千円

　　　子Ｂは、この社債のうち5,000千円を相続税の申告期限後東京都目黒区に贈与している。

４　子Ｃが遺贈により取得した財産

　⑴　宅　　　地　　　20,000千円

　　　子Ｃは、取得した宅地を相続税の申告期限までに宗教法人Ｑ寺に贈与している。

　⑵　国　　　債　　　8,000千円

　　　子Ｃは、この国債のうち3,000千円につき難民支援を目的とする公益財団法人を設立するため、相続税の申告期限までに提供している。

Ch 1

Ch 2

Ch 3

Ch 4

Ch 5

Ch 6

Ch 7

Ch 8

Ch 9

Ch 10

解 答

I　相続人及び受遺者の相続税の課税価格の計算

1　相続・遺贈財産価額の計算			（単位：千円）
財産の種類	取得者	計　算　過　程	金　額
宅　　　地	配偶者乙	50,000－[※]（50,000－20,000）＝20,000 ※　措法70の非課税	20,000
家　　　屋	配偶者乙		20,000
家庭用財産	配偶者乙	5,000－[※]1,000＝4,000 ※　仏だんは相続税の非課税	4,000
宅　　　地	子　　A		40,000
株　　　式	子　　A	30,000－[※]10,000＝20,000 ※　措法70の非課税	20,000
株　　　式	子　　B	売却代金の贈与は措法70の非課税の適用なし	30,000
社　　　債	子　　B	申告期限後の贈与は措法70の非課税の適用なし	10,000
宅　　　地	子　　C	宗教法人への贈与は措法70の非課税の適用なし	20,000
国　　　債	子　　C	設立のための提供は措法70の非課税の適用なし	8,000

解 説

① 配偶者乙

　イ　国等に対する低額譲渡についても措法70の非課税の適用はあります。この場合、その対価の額は結果として相続税の課税対象となります。

　ロ　相続税の非課税財産である仏だんの価額が家庭用財産の価額に含まれていれば控除をしますが、「このほかに仏だんの価額1,000千円がある。」という場合には、仏だんの価額は控除しませんので注意してください。

② 子　　A

　措法70の非課税の適用要件の基本は、何を、いつまでに、どこへの3点です。

③ 子　　B

　イ　株式の売却代金を贈与している場合には、相続・遺贈により取得した財産を贈与していることにはなりません。したがって、措法70の非課税の適用は受けられません。

　ロ　社債については、申告期限後の贈与であるため期限の要件を満たしていないことから、措法70の非課税の適用は受けられません。

④ 子　　C

　イ　宗教法人は非課税対象の贈与先には該当しないため、措法70の非課税の適用は受けられません。

　ロ　措法70の非課税は、現に存する特定の公益法人等などに対する贈与について適用がありますが、設立のための財産の提供についての適用はありません。

純資産価額に加算される暦年課税分の
贈与財産価額及び特定贈与財産価額
出資持分の定めのない法人などに遺贈した財産　　の明細書
特定の公益法人などに寄附した相続財産・
特定公益信託のために支出した相続財産

被相続人	国税 太郎

1　純資産価額に加算される暦年課税分の贈与財産価額及び特定贈与財産価額の明細

この表は、相続、遺贈や相続時精算課税に係る贈与によって財産を取得した人(注)が、その相続開始前3年以内に被相続人から暦年課税に係る贈与によって取得した財産がある場合に記入します。

(注)　被相続人から租税特別措置法第70条の2の2（直系尊属から教育資金の一括贈与を受けた場合の贈与税の非課税）第12項第1号に規定する管理残額及び同法第70条の2の3（直系尊属から結婚・子育て資金の一括贈与を受けた場合の贈与税の非課税）第12項第2号に規定する管理残額以外の財産を取得しなかった人（その人が被相続人から相続時精算課税に係る贈与によって財産を取得している場合を除きます。）は除きます。

番号	贈与を受けた人の氏名	贈与年月日	相続開始前3年以内に暦年課税に係る贈与を受けた財産の明細				①価額	②①の価額のうち特定贈与財産の価額	③相続税の課税価格に加算される価額（①－②）
			種類	細目	所在場所等	数量			
1	国税 花子	5・1・11	土地	宅地	春日部市○○○3丁目5番16号	50.00㎡	19,500,000 円	19,500,000 円	円
2	国税 花子	3・6・2	現金預貯金	現金	春日部市○○○3丁目5番16号		1,000,000		1,000,000
3	税務 幸子	2・10・3	現金預貯金	現金	春日部市○○○3丁目5番16号		2,000,000		2,000,000
4		・・							

贈与を受けた人ごとの③欄の合計額	氏名	（各人の合計）	国税 花子	税務 幸子		
	④金額	3,000,000 円	1,000,000 円	2,000,000 円	円	円

上記「②」欄において、相続開始の年に被相続人から贈与によって取得した居住用不動産や金銭の全部又は一部を特定贈与財産としている場合には、次の事項について、「（受贈配偶者）」及び「（受贈財産の番号）」の欄に所定の記入をすることにより確認します。

（受贈配偶者）　　　　　　　　　　　　　　　　　（受贈財産の番号）
私　国税 花子　は、相続開始の年に被相続人から贈与によって取得した上記　1　の特定贈与財産の価額については贈与税の課税価格に算入します。
なお、私は、相続開始の年の前年以前に被相続人からの贈与について相続税法第21条の6第1項の規定の適用を受けていません。

> この欄の適用を受けた被相続人の配偶者は、贈与税の申告が必要となります。

(注)　④欄の金額を第1表のその人の「純資産価額に加算される暦年課税分の贈与財産価額⑤」欄及び第15表の㉜欄にそれぞれ転記します。

2　出資持分の定めのない法人などに遺贈した財産の明細

この表は、被相続人が人格のない社団又は財団や学校法人、社会福祉法人、宗教法人などの出資持分の定めのない法人に遺贈した財産のうち、相続税がかからないものの明細を記入します。

遺贈した財産の明細					出資持分の定めのない法人などの所在地、名称
種類	細目	所在場所等	数量	価額	
				円	
		合　　計			

3　特定の公益法人などに寄附した相続財産又は特定公益信託のために支出した相続財産の明細

私は、下記に掲げる相続財産を、相続税の申告期限までに、

(1)　国、地方公共団体又は租税特別措置法施行令第40条の3に規定する法人に対して寄附をしましたので、租税特別措置法第70条第1項の規定の適用を受けます。

(2)　租税特別措置法施行令第40条の4第3項の要件に該当する特定公益信託の信託財産とするために支出しましたので、租税特別措置法第70条第3項の規定の適用を受けます。

(3)　特定非営利活動促進法第2条第3項に規定する認定特定非営利活動法人に対して寄附をしましたので、租税特別措置法第70条第10項の規定の適用を受けます。

寄附（支出）年月日	寄附（支出）した財産の明細					公益法人等の所在地・名称（公益信託の受託者及び名称）	寄附（支出）をした相続人等の氏名
	種類	細目	所在場所等	数量	価額		
5・10・5	現金預貯金	現金	春日部市○○○3丁目5番16号		2,000,000 円	日本赤十字社	国税 花子
・・							
			合　　計		2,000,000		

(注)　この特例の適用を受ける場合には、期限内申告書に一定の受領書、証明書類等の添付が必要です。

第14表（令5.7）　　　　　　　　　　　　　　　　　　　　　　　　　　　　（資4-20-15-A4統一）

> 適用を受ける特例に係る番号（(1)～(3)）を○で囲んでください。

> この欄に記載した財産は、第11表には記載しません。

Chapter 3

税額控除Ⅱ

未成年者控除 2

未成年者控除の基本的な計算については基礎導入編で学習済みです。

この Section では、未成年者控除の控除不足額の取扱い等について追加学習します。

1 適用要件等（法19の3）

>>問題集 問題1

1. 適用対象者

相続又は遺贈により財産を取得した者で、次のすべての要件を
満たすものであること

(1) 居住無制限納税義務者又は非居住無制限納税義務者*01)

(2) 法定相続人

(3) 18歳未満の者*02)

（注） 相続を放棄したことにより、相続人に該当しないこととなった
場合でも、法定相続人に該当すれば適用があります。

*01) 無制限納税義務者に適用
される規定となります。

*02) 民法改正に伴い、令和4年
4月1日以後の相続から
18歳未満の者となりまし
た。

2. 納付すべき相続税額

$$\begin{bmatrix} 算\ 出\ 税\ 額 \\ 配偶者の税額軽減までを \\ 適用して計算した金額^{*03)} \end{bmatrix} - \boxed{未成年者控除額} = \boxed{納付税額}$$

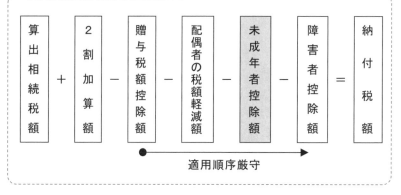

＜各税額控除項目の適用順序＞

| 算出相続税額 | + | 2割加算額 | − | 贈与税額控除額 | − | 配偶者の税額軽減額 | − | 未成年者控除額 | − | 障害者控除額 | = | 納付税額 |

適用順序厳守

*03) 各税額控除の適用順序に
従い、配偶者の税額軽減の
次に未成年者控除を適用
します。なお、令和4年3
月31日以前の相続までは
20歳未満の配偶者につい
て配偶者の税額軽減と、
未成年者控除の重複適用
も可能でした。

3. 控除額

【基本算式】

10万円×（18歳－その者の年齢（1年未満切捨）） *04)

【コメント】

・○○は法定相続人でないため適用なし

・○○は居住（非居住）制限納税義務者のため適用なし

*04) 相続開始時に胎児である
場合において、胎児が無事
生まれてきたときは、その
胎児に係る未成年者控除額
は180万円となります。

>>問題集 問題2

2 控除不足額がある場合の扶養義務者からの控除

1. 内 容（法19の3②）

　　控除不足額がある場合には、その不足額はその者の扶養義務者[*01]で今回の被相続人から財産を取得したものの算出相続税額（配偶者の税額軽減適用後の金額。以下同じ。）から控除し、その控除後の金額がその扶養義務者の納付すべき相続税額となります。[*02]

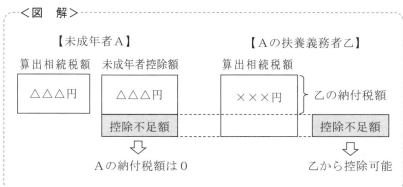

<＜図　解＞>

【未成年者A】

算出相続税額　　未成年者控除額

| △△△円 | △△△円 |
| 控除不足額 |

⇩

Aの納付税額は0

【Aの扶養義務者乙】

算出相続税額

| ×××円 |} 乙の納付税額

| 控除不足額 |

⇩

乙から控除可能

2. 扶養義務者の数に応じた控除額

扶養義務者の数	控　　　　除　　　　額
1　人	扶養義務者の算出相続税額から全額控除します。
2人以上	(1)　扶養義務者全員の協議により控除額を定め、申告書を提出した場合 　→　　申告書に記載した金額を控除します。 (2)　(1)以外の場合[*03] 　控除不足額× その扶養義務者の算出相続税額 / 各扶養義務者の算出相続税額の合計額

*01) 扶養義務者の範囲は配偶者、直系血族、兄弟姉妹、三親等内の親族で同一生計者等です。

*02) 未成年者が成年に達するまでの養育費の負担を考慮し設けられているのが未成年者控除ですから、未成年者本人から控除できない金額はその未成年者の扶養義務者から控除できます。なお、扶養義務者が制限納税義務者であるか、未成年者であるかどうかは問いません。

*03) その扶養義務者が被相続人の配偶者である場合には、配偶者の税額軽減額を控除した後の算出税額に基づきあん分します。

次の資料により未成年者控除額を求めなさい。

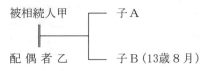

被相続人甲 ── 子A

配偶者乙 ── 子B（13歳8月）

納付すべき相続税額の計算　　　　　　　　　　　　　　　　　　　（単位：円）

	配偶者乙	子　A	子　B
算 出 相 続 税 額	1,000,000	600,000	200,000
贈 与 税 額 控 除 額		△　300,000	△　100,000
配 偶 者 の 税 額 軽 減 額	△　500,000		
未 成 年 者 控 除 額			
納 付 税 額			

解 答　　　　　　　　　　　　　　　　　　　　　　　　　　　　（単位：円）

子B：100,000×（18歳－13歳）＝500,000

　　　500,000＞200,000－100,000＝100,000

　　　∴　500,000－100,000＝400,000（控除不足額）

〔各扶養義務者のあん分額〕

配偶者乙
子　　A
}　400,000×
$\begin{cases} \dfrac{^{※1}500,000}{^{※1}500,000+^{※2}300,000}=250,000 \\[2mm] \dfrac{^{※2}300,000}{^{※1}500,000+^{※2}300,000}=150,000 \end{cases}$

　　　　　　　※1　乙　1,000,000－500,000＝500,000

　　　　　　　※2　A　600,000－300,000＝300,000

解 説

　　控除不足になった者の誰が扶養義務者であるかは資料に与えられませんので、扶養義務者の範囲として配偶者、直系血族、兄弟姉妹を押さえておきましょう。

納付すべき相続税額の計算　　　　　　　　　　　　　　　　　　　（単位：円）

	配偶者乙	子　A	子　B	
算 出 相 続 税 額	1,000,000	600,000	200,000	
贈 与 税 額 控 除 額		△　300,000	△　100,000	
配 偶 者 の 税 額 軽 減 額	△　500,000			
未 成 年 者 控 除 額	△　250,000	△　150,000	△　100,000	控除不足額400,000円を乙とAにあん分する
納 付 税 額	250,000	150,000	0	

設例1－2　　　　　　　　　　　　　　　　　　　　扶養義務者からの控除

　被相続人甲の相続人等が相続又は遺贈により取得した財産に係る算出税額は次のとおりである。この場合における各人の未成年者控除額を求めなさい。

　なお、控除不足額がある場合には、配偶者の税額軽減適用後の算出相続税額から控除し、残額については他の扶養義務者の未成年者控除適用前の算出相続税額に基づいてあん分することを協議により定めている。

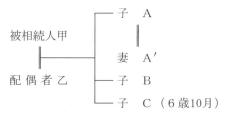

納付すべき相続税額の計算　　　　　　　　　　　　　　　　　　（単位：円）

	配偶者乙	子　A	子　B	子　C
算出相続税額	1,200,000	600,000	300,000	200,000
贈与税額控除額		△　200,000		
配偶者の税額軽減額	△　900,000			
未成年者控除額				
納付税額				

解答

（単位：円）

　　子　　　C：100,000×(18歳－6歳)＝1,200,000＞200,000　∴　200,000

　　　　　　　　1,200,000－200,000＝1,000,000

　　配偶者乙：1,200,000－900,000＝300,000≦1,000,000　∴　300,000

〔各扶養義務者のあん分額〕

　　子　　　A　　　　　　　　　　　　　$\dfrac{※400,000}{※400,000＋300,000}＝400,000$

　　　　　　　　　　(1,000,000－300,000)×

　　子　　　B　　　　　　　　　　　　　$\dfrac{300,000}{※400,000＋300,000}＝300,000$

　　　　　　　　　　　　　　　※　A　600,000－200,000＝400,000

解説

　第67回(平成29年度)の試験では、控除不足額について扶養義務者全員の協議により控除する指示が与えられた問題が出題されています。

3 既控除者の控除限度額

1．内　容

　　以前の相続において既に未成年者控除を受けていた場合には、今回の相続で未成年者控除を受けることができる金額は、前回までの控除不足額の範囲内に限られます。

　　なお、平成27年より20歳に達するまでの1年当たりの控除額が6万円から10万円に引き上げられたことにより、平成26年以前に未成年者控除の満額を既に控除していた者についても控除不足額が必然的に発生し、未成年者控除を受けることが可能です。

《控除限度額》

100,000円×（18歳－最初に控除を受けたときの年齢）－既控除額[*01]

*01）扶養義務者から控除された金額も含まれます。

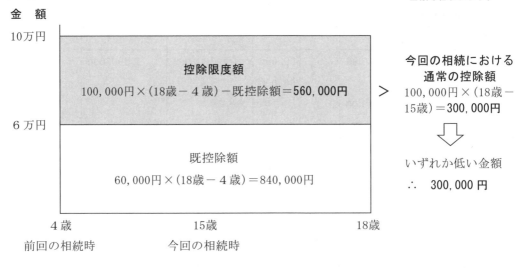

【基本算式】
(1)　原則控除額

　　　10万円×（18歳[*02]－今回の相続時の年齢[(注)1]）

(2)　控除限度額

　　　10万円[(注)2]×（18歳[*02]－最初に控除を受けた時の年齢[(注)1]）－既控除額

(3)　(1)と(2)のいずれか低い金額

*02）民法改正に伴い、令和4年4月1日以後の相続から18歳となりました。

(注)1　1歳未満の端数切捨

(注)2　前回の相続が平成26年以前でも18歳[*02]に達するまでの年数1年につき、10万円で計算します。

設例1－3　　　　　　　　　　　　　　　　　　　　　　既控除者の控除限度額

次の資料に基づき、孫C及び孫Dの未成年者控除額を計算しなさい。

被相続人甲は、令和7年3月25日に死亡した。被相続人甲の相続人等は以下のとおりであり、全員が日本国籍を有し、日本国内に住所を有している。

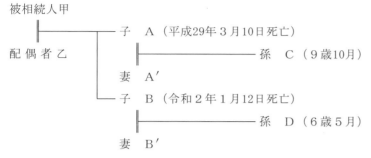

（注）1　子Aの死亡時において孫Cは1歳9月で、未成年者控除1,140,000円の適用を受けている。
　　　2　子Bの相続における遺産は、基礎控除額以下であった。

解答

　　孫C　　①　100,000円×（18歳－9歳）＝900,000円

　　　　　　②　100,000円×（18歳－1歳）－1,140,000円＝560,000円

　　　　　　③　①＞②　∴　560,000円

　　孫D　　100,000円×（18歳－6歳）＝1,200,000円

解説

①　孫Cの場合

　「子Aの死亡時において孫Cは未成年者控除1,140,000円の適用を受けている。」という問題資料から被相続人甲の死亡に係る相続においては、控除限度額の範囲内で未成年者控除の適用を受けることができます。

②　孫Dの場合

　「子Bの相続における遺産は基礎控除額以下」という問題資料から、子Bの死亡の際に相続税額は算出されておらず、未成年者控除の適用も受けていないことが判ります。したがって、被相続人甲の死亡に係る相続においては、通常通り未成年者控除の適用を受けることができます。

　　　　　＜未成年者控除額・障害者控除額の変遷＞

未成年者控除		障害者控除	（一　般）	（特　別）
昭和33年～47年	1万円	昭和47年	1万円	3万円
昭和48年～49年	2万円	昭和48年～49年	2万円	4万円
昭和50年～62年	3万円	昭和50年～62年	3万円	6万円
昭和63年～平成26年	6万円	昭和63年～平成26年	6万円	12万円
平成27年～	10万円	平成27年～	10万円	20万円

Section 2 障害者控除 2

障害者控除の基本的な計算については基礎導入編で学習済みです。

この Section では、障害者控除の控除不足額の取扱い等について追加学習します。

1 適用要件等 （法19の4）

>>問題集 問題3

1. 適用対象者

相続又は遺贈により財産を取得した者で、次のすべての要件を満たすものであること

(1) 居住無制限納税義務者又は特定納税義務者*01)

(2) 法定相続人

(3) 障害者

*01) 国内に住所を有する特定納税義務者についても障害者控除の適用があります。
☞1-10ページ

2. 納付すべき相続税額

$$\begin{bmatrix} 算\ 出\ 税\ 額 \\ 未成年者控除までを \\ 適用して計算した金額^{*02)} \end{bmatrix} - \boxed{障\ 害\ 者\ 控\ 除\ 額} = \boxed{納\ 付\ 税\ 額}$$

*02) 18歳未満の障害者については、未成年者控除と障害者控除の重複控除が可能となります。

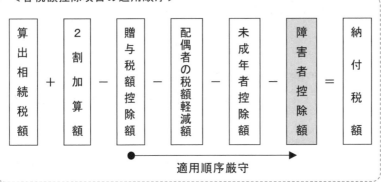

＜各税額控除項目の適用順序＞

算出相続税額 ＋ 2割加算額 − 贈与税額控除額 − 配偶者の税額軽減額 − 未成年者控除額 − 障害者控除額 ＝ 納付税額

適用順序厳守

3. 控除額

【基本算式】

10万円（特別障害者20万円）×（85歳*03)−その者の年齢（1年未満切捨））

*03) 平成22年4月1日以後の相続より年齢要件の上限が70歳から85歳に引き上げられました。

【コメント】

・○○は法定相続人でないため適用なし

・○○は非居住無制限納税義務者のため適用なし

・○○は居住（非居住）制限納税義務者のため適用なし

2 控除不足額がある場合の扶養義務者からの控除

1．内　容（法19の4②）

控除不足額[*01]がある場合には、その不足額はその者の扶養義務者で今回の被相続人から財産を取得した者の算出相続税額（未成年者控除後の金額。以下同じ。）から控除し、その控除後の金額をその扶養義務者の納付すべき相続税額とします。

*01）控除不足額の取扱いは未成年者控除と全く同じです。

2．扶養義務者の数に応じた控除額

扶養義務者の数	控　　除　　額
1　人	扶養義務者の算出相続税額から全額控除します。
2人以上	(1)　扶養義務者全員の協議により控除額を定め、申告書を提出した場合 　➡　申告書に記載した金額を控除します。
	(2)　(1)以外の場合[*02] 　控除不足額 × $\dfrac{\text{その扶養義務者の算出相続税額}}{\text{各扶養義務者の算出相続税額の合計額}}$

*02）その扶養義務者が未成年者である場合には、未成年者控除額までを控除した後の算出税額に基づきあん分します。

3 既控除者の控除限度額

≫≫問題集 問題4

1．障害の程度に変化がない場合[*01]

一般障害者（前回）　➡　一般障害者（今回）

特別障害者（前回）　➡　特別障害者（今回）

*01）未成年者控除と同じように計算します。

【基本算式】

(1)　原則控除額

10万円（特別障害者20万円）×（85歳－今回の相続時の年齢[(注)1]）

(2)　控除限度額

10万円（20万円）[(注)2] ×（85歳－最初に控除を受けた時の年齢[(注)1]）　－　既控除額

(3)　(1)と(2)のいずれか低い金額

(注)1　1歳未満の端数切捨

(注)2　前回の相続が平成26年以前でも、85歳に達するまでの年数1年につき10万円（20万円）で計算します。

2．障害の程度が変わった場合^{*02)}

*02) 前回の相続時より障害が重くなった場合又は軽くなった場合の取扱いです。

一般障害者（前回）　　➡　　特別障害者（今回）

特別障害者（前回）　　➡　　一般障害者（今回）

【基本算式】

1　一般障害者 ➡ 特別障害者

(1)　原則控除額

20万円 ×（85歳－今回の相続時の年齢^{(注)1}）

(2)　控除限度額

①　(1)の金額

②　10万円×前回の相続から今回の相続までの既経過年数^{(注)2}

③　既控除額

④　①＋②－③

(3)　(1)と(2)④のいずれか低い金額

2　特別障害者 ➡ 一般障害者

上記算式の20万円を10万円に、10万円を20万円に変更した算式となります。

（注）1　1歳未満の端数切捨

（注）2　1年未満の端数切上

●前回の障害者控除（一般障害者）

```
10万円┌─────────────────────────────────┐
      │                                 │
      │   10万円×（85歳－X歳）＝既控除額   │
      │                                 │
      └─────────────────────────────────┘
      前回X歳                        85歳
```

●今回の障害者控除（特別障害者）

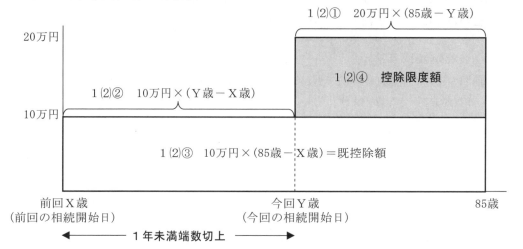

1(2)①　20万円×（85歳－Y歳）

1(2)④　控除限度額

1(2)②　10万円×（Y歳－X歳）

1(2)③　10万円×（85歳－X歳）＝既控除額

前回X歳　　　　　　　今回Y歳　　　　　　85歳
（前回の相続開始日）　（今回の相続開始日）

◀──── 1年未満端数切上 ────▶

設例2-1　　　　　　　　　　　　既控除者の控除限度額（障害の程度が変わった場合）

次の資料により長男Ａ及び二男Ｂの障害者控除額を計算しなさい。

1　被相続人甲（相続開始日：令和7年3月30日）の相続人等は次に示すとおりである。

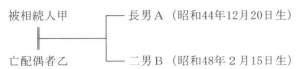

被相続人甲　　　┬── 長男Ａ　（昭和44年12月20日生）

亡配偶者乙　　　└── 二男Ｂ　（昭和48年2月15日生）

2　配偶者乙が平成10年10月25日に死亡した際に以下のとおり障害者控除を受けている。

　⑴　長男Ａは当時一般障害者として　2,520,000円

　⑵　二男Ｂは当時一般障害者として　2,700,000円

3　被相続人甲死亡時においても長男Ａは一般障害者であるが、二男Ｂは平成29年より特別障害者となっている。

解答

長男Ａ

　⑴　100,000円×（85歳－55歳）＝3,000,000円

　⑵　100,000円×（85歳－28歳）－2,520,000円＝3,180,000円

　⑶　⑴ ＜ ⑵　　∴　3,000,000円

二男Ｂ

　⑴　200,000×（85歳－52歳）＝6,600,000円

　⑵　⑴＋100,000円×※27年－2,700,000円＝6,600,000円

　　　※　平成10年10月～令和7年3月　➡　26年5月　∴　27年

　⑶　⑴＝⑵　　∴　6,600,000円

解説

①　下記の図は書けるようにしておくと、基本算式を忘れても限度額を求めることができます。

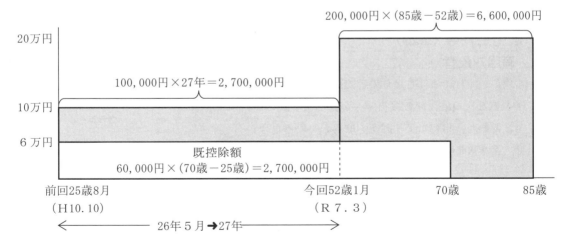

②　令和を平成又は昭和に換算する場合

　　令和7年　➡　平成37年（令和×年に30年を加算します。）

　　令和7年　➡　昭和100年（令和×年に93年を加算します。）

相次相続控除

相次相続控除は、短期間に重ねて相続が発生した場合の税負担の調整を図るものです。

この Section では、相次相続控除の要件及び算式について学習していきます。

1 概　要

　第１次相続開始(父死亡)時から第２次相続開始(甲死亡)時までの期間が短期間(10年以内)の場合には、同一財産について短期間に２回も税金が課せられることになるため、第１次相続時に第２次相続に係る被相続人に課せられた相続税額のうち一定の金額を第２次相続に係る被相続人甲の相続人の相続税額から控除するものです。

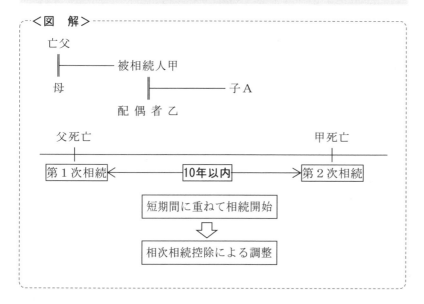

2 適用要件等 (法20)

➤➤問題集 問題5

1. 適用対象者

　　次のいずれの要件も満たす者であること

　(1)　第２次相続に係る被相続人が第２次相続の開始前10年以内[*01]に開始した相続により財産を取得している場合

　(2)　第２次相続に係る被相続人から相続[*02]により財産を取得した者

*01) 相続開始10年前の応当日を含みます。

*02) 相次相続の規定上、「相続」には被相続人からの相続人に対する遺贈が含まれますので、相続又は遺贈により取得した相続人が適用対象者ということになります。

2. 納付すべき相続税額

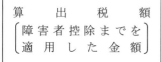

$$\begin{bmatrix} 算出税額 \\ 障害者控除までを \\ 適用した金額 \end{bmatrix} - \boxed{相次相続控除額} = \boxed{納付税額}$$

Ch 1

Ch 2

Ch 3

Ch 4

Ch 5

Ch 6

Ch 7

Ch 8

Ch 9

Ch 10

＜各税額控除項目の適用順序＞

| 算出相続税額 | ＋ | ２割加算額 | － | 贈与税額控除額 | － | 配偶者の税額軽減額 | － | 未成年者控除額 | － | 障害者控除額 | － | 相次相続控除額 | － | 外国税額控除額 | ＝ | 納付税額 |

適用順序厳守

３．控除額

【基本算式】

(1) 相次相続控除額の総額 [*03]

$$A \times \frac{C}{B-A} \left(> \frac{100}{100} \therefore \frac{100}{100}\right) \times \frac{10-E}{10}$$

(2) 各相続人の控除額 [*04]

$$(1) \times \frac{D}{C}$$

【コメント】

・〇〇は相続人でないため適用なし

A：第１次相続により課せられた相続税額（附帯税を除く。）

B：第１次相続により取得した財産の価額（純資産価額 [*05]）

C：第２次相続により相続人・受遺者の全員が取得した財産の価額
　（純資産価額）の合計額

D：第２次相続により相続人が取得した財産の価額（純資産価額）

E：第１次相続開始の時から第２次相続開始の時までの期間に相当
　する年数（１年未満切捨 [*06]）

*03) 基本的には $A \times \frac{10-E}{10}$ の
金額が答えになります。

*04) 相次相続控除額の総額を
純資産価額の比で各相続人
にあん分します。

*05) 相次相続控除は相続が相次
いで発生した場合を前提と
しており、生前贈与による
財産の増減は考慮しません。
したがって、すべて純資産
価額で計算します。

*06) 経過年数を切捨てるのは、
納税者有利の端数処理です。

<図　解>*07)

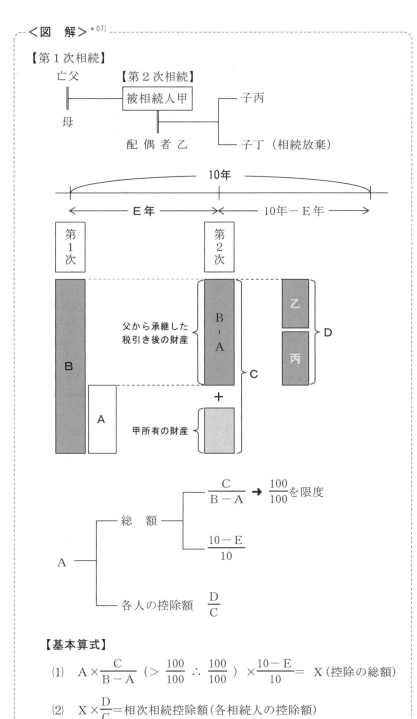

*07) A：父死亡時に甲が課せられた相続税

B：父死亡時の純資産価額

C：甲死亡時の純資産価額

D：相続人乙及び丙が取得した純資産価額

E：父死亡時から甲死亡時までの経過期間

まず控除の基になる金額は甲が納めた相続税額Aです。

↓

$\dfrac{C}{B-A}$は甲が残した純資産が父から承継した純資産より増えているか否かの確認算式です。

増えていればAの金額を基に控除の計算を行います。

しかし、減少していれば、甲が食い潰したと考え、A全額の控除は認めないとするものです。

↓

$\dfrac{10-E}{10}$は経過期間に応じた控除を行うための算式です。

例えば、父が死亡してから甲が死亡するまでの期間が1年であれば、Aの金額の90%が、5年であれば50%が控除対象税額となります。

↓

最後に、控除対象税額を各相続人にあん分する算式が$\dfrac{D}{C}$となります。

【基本算式】

(1) $A \times \dfrac{C}{B-A} \left(> \dfrac{100}{100} \quad \therefore \quad \dfrac{100}{100} \right) \times \dfrac{10-E}{10} = X$（控除の総額）

(2) $X \times \dfrac{D}{C} =$ 相次相続控除額（各相続人の控除額）

Ａ、Ｂ、Ｅは〔問題〕よりピックアップします。

1 被相続人甲に係る相続開始時 (令和７年３月25日) における相続人等の状況は、次に図示すると おりである。

2 被相続人甲は、父の相続 (令和２年１月２日) により次のとおり財産を取得している。

相続財産	40,000,000円
遺贈財産	15,000,000円
債務控除	△ 10,00,0000円
純資産価額	45,000,000円 → Ｂ
生前贈与加算	5,000,000円
課税価格	50,000,000円
納付税額	8,500,000円 → Ａ

Ｃ、Ｄは〔答案用紙〕よりピックアップします。

各人の相続税の課税価格の計算 (単位：円)

区分　　　相続人等	配 偶 者 乙	長 男 丙	二 男 丁	三 男 戊	計
相続・遺贈財産	265,550,850	50,000,000	50,000,000	45,000,000	
みなし取得財産	50,000,000			30,000,000	
相続時精算課税適用財産		20,000,000			
債 務 控 除	△20,000,000	△10,000,000			
純 資 産 価 額	295,550,850	60,000,000	50,000,000	75,000,000	480,550,850
生 前 贈 与 加 算	10,000,000	5,000,000	3,000,000		
課 税 価 格	305,550,000	65,000,000	53,000,000	75,000,000	498,550,000
	Ｄ	Ｄ	Ｄ		Ｃ

Ⅲ 各相続人等の納付すべき相続税額の計算

税額控除等の計算 (単位：円)

控除等の項目	対 象 者	計 算 過 程	金 額
相次相続控除		$8,500,000 \times \dfrac{480,550,850}{45,000,000 - 8,500,000} \ (> \dfrac{100}{100} \ \therefore \ \dfrac{100}{100})$ $\times \dfrac{10 - {}^{※}5}{10} = 4,250,000$ ※ R2.1.2〜R7.3.25 ∴ 5年	
	配偶者乙	$\dfrac{295,550,850}{480,550,850} = 2,613,856$	△2,613,856
	長 男 丙	$4,250,000 \times \dfrac{60,000,000}{480,550,850} = 530,641$	△ 530,641
	二 男 丁	$\dfrac{50,000,000}{480,550,850} = 442,200$	△ 442,200
		三男戊は相続人でないため適用なし	

相続税の外国税額控除

無制限納税義務者は、国外財産について国際間の二重課税が生じることがあります。

このSectionでは、二重課税を調整するための外国税額控除について学習します。

1 概 要

相続又は遺贈により居住無制限納税義務者又は非居住無制限納税義務者が法施行地外にある財産を取得した場合において、その財産についてその地の法令により相続税に相当する税が課せられたときは、原則として算出相続税額からその課せられた税額に相当する金額を控除した金額をもって、その納付すべき相続税額とします。

2 適用要件等（法20の2）

≫≫問題集 問題6

1．適用対象者

次のいずれの要件も満たす者であること

(1) 相続又は遺贈（相続開始年分の被相続人からの贈与を含む。）により法施行地外にある財産を取得した場合

(2) 取得した国外財産につきその地の法令により相続税に相当する税が課せられたとき[01]

*01）国外財産を取得していても外国税が課せられていなければ二重課税となりませんので外国税額控除の適用はありません。

2．納付すべき相続税額

算 出 税 額
［相次相続控除までを
適 用 し た 金 額］ － 外国税額控除額 ＝ 納付税額

<各税額控除項目の適用順序>

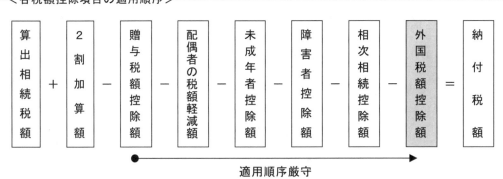

適用順序厳守

3．控除額

Ch 1

Ch 2

Ch 3

Ch 4

Ch 5

Ch 6

Ch 7

Ch 8

Ch 9

Ch 10

【基本算式】

(1) 外国税相当額

　課せられた外国税額(注)1

(2) 控除限度額*02)

　算出相続税額(注)2 × $\dfrac{\text{在外財産の価額－その在外財産に係る債務}^{(注)3}}{\text{純資産価額＋相続開始年分の生前贈与加算額}^{(注)4}}$

(3) 控除額

　(1)と(2)のいずれか少ない金額

【コメント】

・〇〇は居住（非居住）制限納税義務者のため適用なし

*02) 国内税率よりも国外税率の方が高い場合に、その高率部分までの二重課税の調整は不要と考え、控除限度額が設けられています。

(注) 1　課せられた外国税額

　　　次のいずれかの日における対顧客電信売相場*03)で円換算します。

　　①　納付すべき日

　　②　送金が著しく遅れている場合を除き、国内から送金する日

　　　➜　納税者有利に①と②のいずれか高い方の相場を選択します。

*03) 問題資料に売相場（TTS）と買相場（TTB）の両方が付与されている場合には、TTSの方がTTBよりも必ず高い相場となっているため、納税者有利に高い相場の方を選択すればOKです。

　　 2　相次相続控除までの規定を適用した後の金額となります。

　　 3　分子の金額

　　　控除限度額の計算における分子及び分母の金額は、純資産価額（債務控除後の金額）に基づきます。したがって、分子の金額について在外財産に係る債務がある場合には、その債務を控除した後の金額となります。

　　 4　分母の金額

　　　相続開始年分の被相続人からの贈与で生前贈与加算されるものは贈与税が非課税となることから、贈与税の外国税額控除の適用が受けられません。そこで、相続開始年分の生前贈与加算額については控除限度額の計算上、分母の純資産価額に加えるとともにその相続開始年分の贈与財産のうちに在外財産がある場合には、分子の金額にも加えることにより、相続税の外国税額控除の適用を通じて国際間の二重課税の調整を図ることとしています。*04)

*04) 適用要件の取得原因である相続又は遺贈のカッコ書きにおいて「相続開始年分の被相続人からの贈与を含む」としている理由です。なお、相続開始の年に国内財産しか取得していない場合でも分母には計上します。

　分母：相続開始年分の被相続人からの贈与財産のすべて

　分子：相続開始年分の被相続人からの在外財産のみ

次の資料により相続税の外国税額控除額を求めなさい。

1　被相続人甲は令和7年3月10日東京都港区の自宅で死亡した。

被相続人甲　　　　　　　　　　　　┬── 子A（居住無制限納税義務者）

配偶者乙（居住無制限納税義務者）　└── 子B（非居住無制限納税義務者）（相続放棄）

2　各相続人等の課税価格等は以下のとおりである。

　⑴　配偶者乙が遺贈により取得した財産のうち40,000千円は米国所在の財産であり、この財産の取得につき米国にて相続税に相当する税80,000ドルが課せられている。

　⑵　子Aが相続により取得した財産のうち25,000千円は米国所在の財産であり、この財産の取得につき米国にて相続税に相当する税45,000ドルが課せられている。なお、債務控除10,000千円のうち3,000千円は米国所在の財産に係るものである。

　⑶　子Bが遺贈により取得した財産のうち20,000千円及び生前贈与加算された10,000千円（すべて相続開始年分の贈与財産である。）のうち3,000千円は米国所在の財産であり、これらの財産の取得につき米国で相続税に相当する税26,000ドルが課せられている。

　　なお、米国にて課せられている外国税の納付すべき日は令和7年12月10日であるが、各人は令和7年12月15日に送金している。

3　為替レート（1ドル当たり）

	令和7年12月10日	令和7年12月15日
対顧客直物電信売相場（ＴＴＳ）	105.25円	105.50円
対顧客直物電信買相場（ＴＴＢ）	103.25円	103.50円

4　各人の課税価格等

⑴　各人の相続税の課税価格の計算				（単位：円）
区　分＼相続人等	配偶者乙	子　　A	子　　B	計
相続・遺贈財産	230,000,000	50,000,000	80,000,000	
みなし取得財産	60,000,000	30,000,000	10,000,000	
相続時精算課税適用財産		40,000,000		
債　務　控　除	△ 20,000,000	△ 10,000,000		
純　資　産　価　額	270,000,000	110,000,000	90,000,000	470,000,000
生　前　贈　与　加　算	10,000,000	10,000,000	10,000,000	
課　税　価　格	280,000,000	120,000,000	100,000,000	500,000,000

⑵　各人の納付税額の計算				（単位：円）
区　分＼相続人等	配偶者乙	子　　A	子　　B	計
算　出　税　額	73,416,000	31,464,000	26,220,000	131,100,000
贈与税額控除額（暦年課税分）	△ 2,310,000	△ 1,770,000		
配偶者の税額軽減額	△65,550,000			
外　国　税　額　控　除　額				
贈与税額控除額（相続時精算課税分）		△ 3,000,000		
納　付　税　額				

解 答

(2) 各人の納付税額の計算 （単位：円）

区　分＼相続人等	配偶者乙	子　A	子　B	計
算 出 税 額	73,416,000	31,464,000	26,220,000	131,100,000
贈与税額控除額（暦年課税分）	△ 2,310,000	△ 1,770,000		
配偶者の税額軽減額	△65,550,000			
外国税額控除額	△ 823,111	△ 4,747,500	△ 2,743,000	
贈与税額控除額（相続時精算課税分）		△ 3,000,000		
納 付 税 額	4,732,800	21,946,500	23,477,000	

2．税額控除等の計算 （単位：円）

控除等の項目	対象者	計　算　過　程	金　額
外国税額控除	配偶者乙	(1)　$80,000$ ドル $\times$ ※$105.50 = 8,440,000$ 　　※　$105.25 < 105.50$　∴　105.50 (2)　*$5,556,000 \times \dfrac{40,000,000}{270,000,000} = 823,111$ 　　*　$73,416,000 - 2,310,000 - 65,550,000$ 　　　$= 5,556,000$ (3)　(1)＞(2)　∴　$823,111$	△　823,111
	子　A	(1)　$45,000$ ドル $\times$ ※$105.50 = 4,747,500$ (2)　*$29,694,000 \times \dfrac{25,000,000 - 3,000,000}{110,000,000}$ 　　$= 5,938,800$ 　　*　$31,464,000 - 1,770,000 = 29,694,000$ (3)　(1)＜(2)　∴　$4,747,500$	△4,747,500
	子　B	(1)　$26,000$ ドル $\times$ ※$105.50 = 2,743,000$ (2)　$26,220,000 \times \dfrac{20,000,000 + 3,000,000}{90,000,000 + 10,000,000}$ 　　$= 6,030,600$ (3)　(1)＜(2)　∴　$2,743,000$	△2,743,000

解 説

① 邦貨換算にあたり納付すべき日と送金する日の為替相場が与えられている場合には、納税者有利となるよう高い方の相場を選択して下さい。

② 国外財産に係る債務がある場合には、分子の金額から控除することを忘れないようにして下さい。

③ 相続開始年分の贈与財産は、国内財産・国外財産問わず分母に加算します。

Section 5 贈与税の外国税額控除

無制限納税義務者は、国外財産について国際間の二重課税が生じることがあります。
このSectionでは、その二重課税の調整するための外国税額控除について学習します。

1 概　要

　贈与により居住無制限納税義務者又は非居住無制限納税義務者*01)が法施行地外にある財産を取得した場合において、その財産についてその地の法令により贈与税に相当する税が課せられたときは、原則的に算出贈与税額からその課せられた税額に相当する金額を控除した金額をもって、その納付すべき贈与税額とします。

*01) 制限納税義務者が取得した国外財産は課税対象外であることより二重課税は生じませんので、外国税額控除の適用はありません。

2 適用要件等（法21の8）

>>問題集 問題7

1. 適用対象者

　次のいずれの要件も満たす者であること
(1) 贈与により法施行地外にある財産を取得した場合
(2) 取得した国外財産につきその地の法令により贈与税に相当する税が課せられたとき

2. 控除額

【基本算式】*01)

(1) 外国税相当額
　　課せられた外国税額(注)1

(2) 控除限度額
　　算出贈与税額 × $\dfrac{\text{在外財産の価額}}{\text{贈与税の課税価格に算入された財産の価額}}$(注)2

(3) 控除額
　　(1)と(2)のいずれか少ない金額

【コメント】
・○○は居住（非居住）制限納税義務者のため適用なし

*01) 計算の仕組みは相続税の外国税額控除と同じです。

(注)1　課せられた外国税額
　　　　次のいずれかの日における対顧客電信売相場で円換算します。
　　① 納付すべき日
　　② 送金が著しく遅れている場合を除き、国内から送金する日
　　　→ 納税者有利に①と②のいずれか高い方の相場を選択します。
　　2　贈与税の配偶者控除及び基礎控除前の財産の価額*02)

*02) 贈与税の配偶者控除及び基礎控除は「贈与税の課税価格」の後に控除する項目です。

3. 贈与税の外国税額控除の適用を受けた国外財産について生前贈与加算された場合の贈与税額控除額

その年分の贈与税額は、贈与税の外国税額控除前の税額を基礎として贈与税額控除額を計算します。*03)

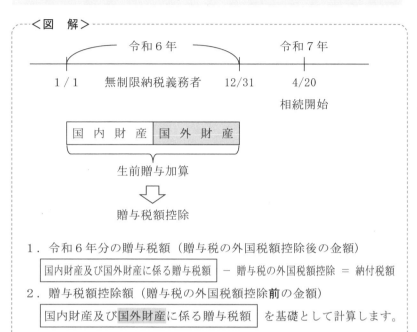

＜図　解＞

令和6年　　　　　　　　　令和7年

1／1　　無制限納税義務者　　12/31　　4/20

相続開始

| 国 内 財 産 | 国 外 財 産 |

生前贈与加算

⬇

贈与税額控除

1．令和6年分の贈与税額（贈与税の外国税額控除後の金額）

　 国内財産及び国外財産に係る贈与税額 － 贈与税の外国税額控除 ＝ 納付税額

2．贈与税額控除額（贈与税の外国税額控除**前**の金額）

　 国内財産及び国外財産に係る贈与税額 を基礎として計算します。

4. 相続開始年分の贈与財産について外国税が課税された場合

相続開始年分の被相続人からの贈与は非課税であるため、贈与により取得した国外財産について日本の贈与税との二重課税は生じませんが、その国外財産が生前贈与加算されることで日本の相続税との二重課税が生じるため、相続税の外国税額控除で二重課税の調整を行います。*04)

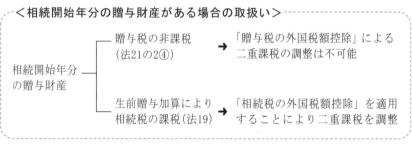

＜相続開始年分の贈与財産がある場合の取扱い＞

相続開始年分の贈与財産

── 贈与税の非課税（法21の2④）　➡　「贈与税の外国税額控除」による二重課税の調整は不可能

── 生前贈与加算により相続税の課税（法19）　➡　「相続税の外国税額控除」を適用することにより二重課税を調整

次の資料により配偶者乙（国外に住所を有したことはない。）の令和6年分の納付すべき贈与税額、令和7年4月10日に贈与者甲が死亡した場合の生前贈与加算額及び贈与税額控除額を求めなさい。

令和6年中に配偶者乙が甲から受けた贈与財産

⑴　株　式　　　　　　　　10,000千円

⑵　米国所在の土地　　　　15,000千円※

※　米国所在の土地については、米国において贈与税に相当する税5,000千円が課されている。

解答

（単位：千円）

1　令和6年分の納付すべき贈与税額

$(10,000＋15,000－1,100)×50％－2,500＝9,450$

$9,450－^{※}5,000＝\boxed{4,450}$ ── 日本で申告納付する税金です。

※　贈与税の外国税額控除

⑴　5,000

⑵　$9,450×\dfrac{15,000}{10,000＋15,000}＝5,670$

⑶　⑴＜⑵　∴　5,000

2　生前贈与加算額

$10,000＋15,000＝25,000$

3　贈与税額控除額

$\boxed{9,450}$

国外財産15,000千円は生前贈与加算により相続税の課税を受けるため、その国外財産についても相続税と贈与税の二重課税が生じることから贈与税の外国税額控除前の金額で贈与税額控除を計算します。

解説

贈与税の申告納付額は外国税額控除後ですが、贈与税額控除は外国税額控除前で行います。

（贈与税の課税価格）

（生前贈与加算）

（贈与税の課税価格）		（生前贈与加算）
株式10,000千円	贈与税を課税　←二重課税→　相続税を課税	株式10,000千円
土地15,000千円		土地15,000千円

5. 相続時精算課税に係る還付税額の計算（法33の2）

⑴ 一般的な場合

差引相続税額[*05] － 贈与税額控除額（精算課税分）＝控除不足額

➡ 還付税額 （円単位）

⑵ 贈与税の外国税額控除の適用を受けている場合の還付税額

差引相続税額 － 贈与税額控除額（精算課税分）＝控除不足額

控除不足額 － 贈与税の外国税額控除額[*06] ＝還付税額（円単位）

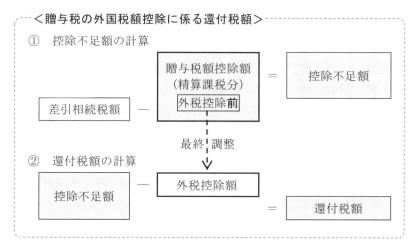

＜贈与税の外国税額控除に係る還付税額＞

① 控除不足額の計算

差引相続税額 － 贈与税額控除額（精算課税分） 外税控除前 ＝ 控除不足額

最終 調整

② 還付税額の計算

控除不足額 － 外税控除額 ＝ 還付税額

*05) 差引相続税額とは、算出相続税額から各税額控除項目の合計額を差し引いた後の税額です。

*06) 贈与税額控除額（精算課税分）は、贈与税の外国税額控除前の金額となりますので、控除不足額には外国に納付した贈与税額も含まれます。しかし、日本からの還付は日本に納付した贈与税額を原資とすることから、贈与税の外国税額控除後の金額が還付税額となります。

次の資料により、令和7年4月10日に死亡した被相続人甲の死亡に係る子A及び子Bの還付税額を求めなさい。なお、子A及び子Bは相続時精算課税の適用を受けている。

⑴　子Aが令和5年に甲から贈与により取得した財産　　　　50,000千円

⑵　子Bが令和6年に甲から贈与により取得した財産　　　　50,000千円（うち国外財産10,000千円）

　　なお、子Bは国外財産につき所在地国にて850千円の税が課せられており、贈与税の外国税額控除の適用を受けている。

納付税額の計算　　　　　　　　　　　　　　　　　　　　　　　　　（単位：円）

区分＼相続人等	子　　A	子　　B	計
算　出　税　額	3,456,780	3,456,780	6,913,560
贈 与 税 額 控 除 額（ 暦 年 課 税 分 ）	△　2,310,000	△　2,310,000	
贈 与 税 額 控 除 額（相続時精算課税分）			
納　付　税　額			
還　付　税　額			

解答　　　　　　　　　　　　　　　　　　　　　　　　　　　　　　　（単位：円）

子　A

　⑴　贈与税額控除（相続時精算課税分）

　　　$(50,000,000-{}^{※}25,000,000)×20\%=5,000,000$

　　　※　$50,000,000>25,000,000$　∴　$25,000,000$

　⑵　還付税額

　　　$3,456,780-2,310,000-5,000,000=△3,853,220$

子　B

　⑴　贈与税額控除（相続時精算課税分）

　　　$(50,000,000-1,100,000-{}^{※}25,000,000)×20\%=4,780,000$

　　　※　$50,000,000-1,100,000=48,900,000　>　25,000,000$　　∴　$25,000,000$

　　　贈与税の外国税額控除

　　　　①　850,000

　　　　②　$4,780,000×\dfrac{10,000,000}{50,000,000}=956,000$

　　　　③　①＜②　∴　850,000

　⑵　還付税額

　　　$3,456,780-2,310,000-4,780,000=△3,633,220$（控除不足額）

　　　$3,633,220-850,000=△2,783,220$（還付税額）

納付税額の計算　　　　　　　　　　　　　　　　　　　　　　　　　　　　（単位：円）

区分 ＼ 相続人等	子　　A	子　　B	計
算　出　税　額	3,456,780	3,456,780	6,913,560
贈 与 税 額 控 除 額 （ 暦 年 課 税 分 ）	△　2,310,000	△　2,310,000	
贈 与 税 額 控 除 額 （相続時精算課税分）	△　5,000,000	△　4,780,000[注]	
納　付　税　額			
還　付　税　額	3,853,220	2,783,220[注]	

（注）　贈与税額控除（相続時精算課税分）の計算では贈与税の外国税額控除前の金額を基に
　　　計算しますが、還付税額の計算では贈与税の外国税額控除後の金額を基に計算します。

相 次 相 続 控 除 額 の 計 算 書

被相続人	国税 太郎

この表は、被相続人が今回の相続の開始前10年以内に開始した前の相続について、相続税を課税されている場合に記入します。

1 相次相続控除額の総額の計算

前の相続に係る被相続人の氏名	前の相続に係る被相続人と今回の相続に係る被相続人との続柄	前の相続に係る相続税の申告書の提出先
国税 太助	国税 太郎の父	春日部　　税務署

① 前の相続の年月日	② 今回の相続の年月日	③ 前の相続から今回の相続までの期間（1年未満切捨て）	④ 10年 － ③ の年数
平成 27 年 3 月 10 日	令和 6 年 5 月 10 日	9 年	1 年

⑤ 被相続人が前の相続の時に取得した純資産価額（相続時精算課税適用財産の価額を含みます。）	⑥ 前の相続の際の被相続人の相続税額	⑦ （⑤－⑥）の金額	⑧ 今回の相続、遺贈や相続時精算課税に係る贈与によって財産を取得した全ての人の純資産価額の合計額（第1表の④の合計金額）
円 19,411,546	円 4,250,000	円 15,161,546	円 495,602,246

（⑥の相続税額）			（④の年数）		相次相続控除額の総額
4,250,000 円 ×	(⑧の金額) 495,602,246 円 / (⑦の金額) 15,161,546 円	この割合が1を超えるときは1とします。	× 1/10 年/年	＝ Ⓐ	円 425,000

2 各相続人の相次相続控除額の計算

(1) 一般の場合（この表は、被相続人から相続、遺贈や相続時精算課税に係る贈与によって財産を取得した人のうちに農業相続人がいない場合に、財産を取得した相続人の全ての人が記入します。）

今回の相続の被相続人から財産を取得した相続人の氏名	⑨ 相次相続控除額の総額	⑩ 各相続人の純資産価額（第1表の各人の④の金額）	⑪ 相続人以外の人も含めた純資産価額の合計額（第1表の④の各人の合計）	⑫ 各人の⑩／Ⓑ の割合	⑬ 各人の相次相続控除額（⑨×各人の⑫の割合）
国税 花子	（上記Ⓐの金額）	円 253,286,750		0.5110686	円 217,204
国税 一郎		129,636,813		0.2615743	111,169
税務 幸子	425,000 円	112,678,683	Ⓑ 495,602,246 円	0.2273570	96,627

(2) 相続人のうちに農業相続人がいる場合（この表は、被相続人から相続、遺贈や相続時精算課税に係る贈与によって財産を取得した人のうちに農業相続人がいる場合に、財産を取得した相続人の全ての人が記入します。）

今回の相続の被相続人から財産を取得した相続人の氏名	⑭ 相次相続控除額の総額	⑮ 各相続人の純資産価額（第3表の各人の④の金額）	⑯ 相続人以外の人も含めた純資産価額の合計額（第3表の④の各人の合計）	⑰ 各人の⑮／Ⓒ の割合	⑱ 各人の相次相続控除額（⑭×各人の⑰の割合）
	（上記Ⓐの金額）	円			円
	_____ 円		Ⓒ _____ 円		

（注） 1 ⑤欄の相続時精算課税適用財産の価額は、令和6年1月1日以後の贈与により取得した財産の場合、その贈与により取得した年分ごとに、その年の価額から相続時精算課税に係る基礎控除額を控除した残額となります。
2 ⑥欄の相続税額は、相続時精算課税分の贈与税額控除後の金額をいい、その被相続人が納税猶予の適用を受けていた場合の免除された相続税額並びに延滞税、利子税及び加算税の額は含まれません。
3 各人の⑬又は⑱欄の金額を第8の8表1のその人の「相次相続控除額③」欄に転記します。

第7表(令6.7)　　　　　　　　　　　　　　　　　　　　（資4−20−8−A4統一）

Chapter 4

住宅取得等資金

Section 1 住宅取得等資金に係る相続時精算課税の特例

相続時精算課税制度における贈与者の年齢要件は60歳以上ですが、住宅取得税制の一環として住宅取得資金の贈与については贈与者の年齢要件が撤廃されています。

このSectionでは、住宅取得等資金に係る相続時精算課税の特例について学習します。

1 住宅取得等資金に係る相続時精算課税の特例

➤➤問題集 問題1

1. 概　要

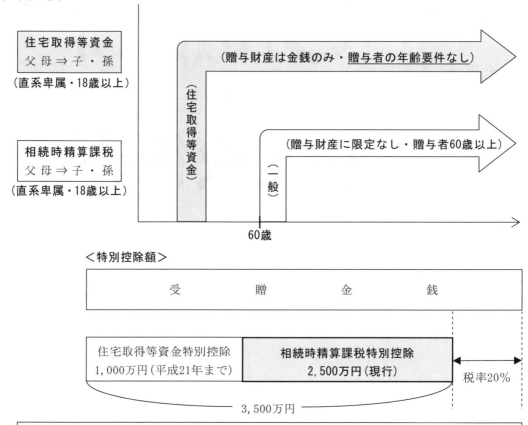

住宅取得等資金
父 母 ⇒ 子・孫
（直系卑属・18歳以上）

相続時精算課税
父 母 ⇒ 子・孫
（直系卑属・18歳以上）

（住宅取得等資金）

（一般）

（贈与財産は金銭のみ・贈与者の年齢要件なし）

（贈与財産に限定なし・贈与者60歳以上）

60歳

＜特別控除額＞

受　　　贈　　　金　　　銭		
住宅取得等資金特別控除 1,000万円（平成21年まで）	相続時精算課税特別控除 2,500万円（現行）	税率20%

━━━━ 3,500万円 ━━━━

　一般の相続時精算課税の特例も住宅取得等資金に係る相続時精算課税の特例も現行では特別控除額は2,500万円で同額ですが、平成15年から平成21年までの住宅取得等資金に係る相続時精算課税の選択を行った場合の特別控除額は上乗せ1,000万円がありました。

　なお、住宅取得等資金について相続時精算課税の特例を選択した場合には、以後その住宅取得等資金の贈与者からの贈与については、相続時精算課税が適用されます。

2．適用要件等（措法70の3①③）

項　　目	要　　　　件　　　　等	
適 用 期 間	平成15年1月1日～令和8年12月31日まで	
対 象 者	贈 与 者	**年齢要件なし**
	受 贈 者 (特定受贈者)	・居住無制限納税義務者又は非居住無制限納税義務者 ・贈与者の直系卑属である推定相続人又は孫 ・贈与年の1月1日において18歳以上
対 象 財 産	金銭のみ	
住 宅 取 得 等 資 金 の 使 　 　 途	①　住宅用家屋の新築 ②　中古住宅用家屋の購入 ③　住宅用家屋の増改築 ④　①から③とともに取得するその敷地の用に供されている土地等の取得 ⑤　住宅用家屋の新築に先行してするその敷地の用に供されることとなる土地等の取得（平成23年1月1日以後の贈与から適用）	
課 税 価 格	住宅資金贈与者からの贈与財産のみ	
特 別 控 除 額	①　平成22年度以後の贈与の場合 　➡　2,500万円 ②　平成21年度までの贈与の場合 　➡　3,500万円｛1,000万円(住宅取得等資金特別控除額)＋2,500万円｝	
税 　 　 率	一律20％	
そ 　 の 　 他 の 　 要 　 件	特定受贈者が、贈与があった年の翌年3月15日までに住宅取得等資金の全額を住宅用家屋の取得等の対価に充てて居住の用に供している場合又は同日後遅滞なく居住の用に供することが確実であると認められるとき	

3．住宅用家屋等の要件（措法70の3①③⑦、措令40の5）

住宅用家屋	特定受贈者が居住の用に供する国内にある家屋（床面積の$\frac{1}{2}$以上が専ら居住の用に供されるものに限る。）で床面積が40㎡以上であること
既存住宅用家屋	特定受贈者が居住の用に供する国内にある建築後使用されたことのある住宅用家屋（耐震基準又は経過年数基準を満たしているものに限る）で（床面積の$\frac{1}{2}$以上が専ら居住の用に供されるものに限る。）床面積が40㎡以上であること ⑴　耐震基準 　　地震に対する安全性について「耐震基準適合証明書」又は「住宅性能評価書の写し」により証明されたもの ⑵　要耐震改修住宅用家屋 　　平成26年4月1日以降に贈与を受けた資金により、贈与を受けた翌年3月15日までに耐震基準に適合しない中古住宅（要耐震改修住宅用家屋）を取得した場合で、その住宅を取得する日までに耐震改修工事の申請等をして、贈与を受けた翌年3月15日までに改修工事を完了し耐震基準に適合したことが証明されたこと等の所定の要件を満たすもの ⑶　経過年数基準 　①　耐火建築物　　➡　その取得の日以前25年以内に建築されたものであること 　②　耐火建築物以外　➡　その取得の日以前20年以内に建築されたものであること
増改築	特定受贈者が所有している国内にある家屋について行う増築、改築工事、省エネ改修工事、バリアフリー改修工事及び給排水管又は雨水の浸入を防止する部分に係る工事（工事費用の$\frac{1}{2}$以上が居住用家屋に係るものであること）で次の要件を満たすもの ⑴　工事に要した費用の額が100万円以上であること ⑵　工事後の家屋の床面積が40㎡以上であること

設例 1 － 1　　　　　　　　　　　　　　　　　住宅取得等資金に係る相続時精算課税の特例

次の資料により子Aの令和6年分及び令和7年分の納付すべき贈与税額を求めなさい。

子A（32歳）は次の贈与を受けている。

1　子Aが令和6年中に贈与により取得した財産

父甲（58歳）からの贈与　　　現　　金　　35,000千円

（注）　子Aは令和6年分の父甲からの贈与につき住宅取得等資金に係る相続時精算課税選択届出書を提出している。

2　子Aが令和7年中に贈与により取得した財産

⑴　父甲からの贈与　　　　　有価証券　　15,000千円

⑵　母乙からの贈与　　　　　有価証券　　10,000千円

解　答　　　　　　　　　　　　　　　　　　　　　　　　　　　　　　　　（単位：千円）

⑴　令和6年分

$(35,000-1,100-{}^{※}25,000)\times20\%=1,780$

※　$35,000-1,100=33,900 \,>\, 25,000$　　∴　$25,000$

⑵　令和7年分

①　甲からの贈与

$(15,000-1,100)\times20\%=2,780$

②　乙からの贈与

$(10,000-1,100)\times30\%-900=1,770$

③　①＋②＝4,550

住宅取得等資金の非課税

Section **2**

リーマンショックによる100年一度と言われる経済危機に直面し、あらゆる経済政策を総動員することが求められた結果、これまでの住宅取得等資金に係る相続時精算課税の特例に加えて、非課税措置が創設されました。

この Section では、住宅取得等資金の非課税について学習します。

1 住宅取得等資金の非課税

>>問題集 問題2・3

1. 趣 旨

消費性向の低い高齢者から、消費性向の高い若年層への資産移転を円滑化し、住宅取得の支援を図ることを目的として、設けられた規定です。

2. 概 要

父母又は祖父母などの直系尊属[*01]から贈与により、自己の居住の用に供する住宅用家屋取得のための金銭の贈与を受けた場合には、その金銭のうち非課税限度額までを贈与税の非課税としています。

*01) 贈与者の要件が直系尊属であることより、住宅取得等資金の非課税適用対象者は贈与者の推定相続人に限定されないことになります。

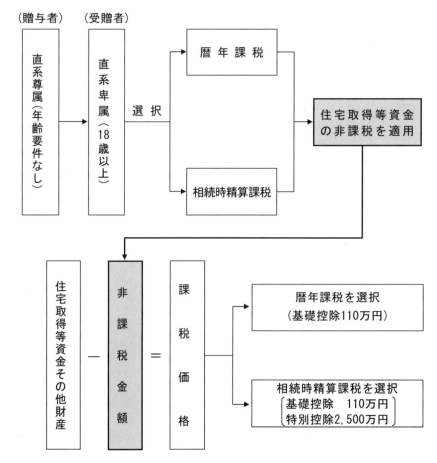

3．適用要件等（措法70の2①②）

項　　　目	要　　　　件　　　　等	
適 用 期 間	令和6年1月1日～令和8年12月31日まで	
対　象　者	贈　与　者	受贈者の直系尊属（父母又は祖父母等）
	受　贈　者	・居住無制限納税義務者又は非居住無制限納税義務者 ・贈与者の直系卑属（子又は孫等） ・贈与年の1月1日において18歳以上 　（令和4年3月31日以前の贈与は20歳以上） ・合計所得金額2,000万円以下の者 　（新築等をした住宅用家屋の床面積が40㎡以上50㎡未満である 　場合は1,000万円以下の者）
対 象 財 産	金銭のみ	
住 宅 取 得 資 金 等 の 使　　　途	①　住宅用家屋の新築 ②　中古住宅用家屋の購入 ③　住宅用家屋の増改築 ④　①から③とともに取得するその敷地の用に供されている土地等の取得 ⑤　住宅用家屋の新築に先行してするその敷地の用に供されることとなる土地 　　等の取得	
非 課 税 金 額	省エネ等住宅…1,000万円 上記以外の家屋…500万円	

過去の非課税金額

非 課 税 金 額	消費税率8％の場合	①　平成27年12月31日までの間に締結した契約 　➡　1,000万円（1,500万円）(注) ②　平成28年1月1日から令和2年3月31日までの間に締結した契約 　➡　700万円（1,200万円）(注)	
	消費税率10％の場合	①　平成31年4月1日から令和2年3月31日までの間に締結した契約 　➡　2,500万円（3,000万円）(注) ②　令和2年4月1日から令和3年12月31日までの間に締結した契約 　➡　1,000万円（1,500万円）(注) （注）※省エネ等住宅の場合には、カッコ書きの金額となります。	

※　省エネ等住宅とは、エネルギーの使用の合理化に著しく資する住宅用の家屋、大規模な地震に
　対する安全性を有する住宅用の家屋又は高齢者等が自立した日常生活を営むのに特に必要な構造
　及び設備の基準に適合する住宅用の家屋をいいます。

【基本算式】

(1) 暦年課税の場合

{贈与財産の合計－非課税限度額※－基礎控除額(110万円)}×税率

(2) 相続時精算課税の場合

{贈与財産の合計－非課税限度額※－基礎控除額(110万円)－特別控除額(2,500万円まで)}×20%

※ 既控除額がある場合には残額

4．住宅用家屋等の要件（措法70の2②、措令40の4の2）

住宅用家屋	特定受贈者が居住の用に供する国内にある家屋（床面積の$\frac{1}{2}$以上が専ら居住の用に供されるものに限る。）で床面積が40㎡以上240㎡以下であること
既存住宅用家屋	特定受贈者が居住の用に供する国内にある建築後使用されたことのある住宅用家屋（耐震基準又は経過年数基準を満たしているものに限る）で（床面積の$\frac{1}{2}$以上が専ら居住の用に供されるものに限る。）床面積が40㎡以上240㎡以下であること (1) 耐震基準 　地震に対する安全性について「耐震基準適合証明書」又は「建設住宅性能評価書の写し」により証明されたもの (2) 要耐震改修住宅用家屋 　平成26年4月1日以降に贈与を受けた資金により、贈与を受けた翌年3月15日までに耐震基準に適合しない中古住宅（要耐震改修住宅用家屋）を取得した場合で、その住宅を取得する日までに耐震改修工事の申請等をして、贈与を受けた翌年3月15日までに改修工事を完了し耐震基準に適合したことが証明されたこと等の所定の要件を満たすもの (3) 経過年数基準 　① 耐火建築物　➡　その取得の日以前25年以内に建築されたものであること 　② 耐火建築物以外　➡　その取得の日以前20年以内に建築されたものであること
増改築	特定受贈者が所有している国内にある家屋について行う増築、改築工事、省エネ改修工事、バリアフリー改修工事及び給排水管又は雨水の浸入を防止する部分に係る工事（工事費用の$\frac{1}{2}$以上が居住用家屋に係るものであること）で次の要件を満たすもの (1) 工事に要した費用の額が100万円以上であること (2) 工事後の家屋の床面積が40㎡以上240㎡以下であること

次の資料により生前贈与加算額及び贈与税額控除額を求めなさい。

長男A（32歳）は父である甲（令和7年4月10日死亡）から相続により財産を取得した。

なお、長男Aは以下に掲げる財産の贈与を受けている。

贈 与 年 月	贈 与 者	贈 与 財 産	贈 与 時 の 時 価	備 考
令和5年8月	父　　甲	株　　式	5,000千円	
令和5年12月	母　　乙	株　　式	5,000千円	
令和6年5月	父　　甲	現　　金	20,000千円	（注）

（注）　令和6年5月に省エネ等住宅を購入する契約を締結し、同年分の贈与税について

　　　住宅取得等資金の非課税(非課税限度額10,000千円)の適用を受けている。

解 答

(単位：千円)

(1)　生前贈与加算額

①　令和5年分　　　　5,000

②　令和6年分　　　　$20,000-{}^{※}10,000=10,000$

※　$20,000 > 10,000$　　　∴　10,000

③　①＋②＝15,000

(2)　贈与税額控除額

①　令和5年分　　　$(5,000+5,000-1,100)×30\%-900=1,770$

$$1,770×\frac{5,000}{5,000+5,000}=885$$

②　令和6年分　　　$(10,000-1,100)×30\%-900=1,770$

③　①＋②＝2,655

解 説

　　省エネ等住宅を取得している場合とそうでない場合には、非課税限度額が異なりますので

注意して下さい。なお、本試験においては非課税限度額が付与されている出題もあります。

【住宅取得等資金に係る相続時精算課税の特例と非課税のまとめ】

項　　目	相続時精算課税の特例	非課税
贈与者の要件	（注）贈与者については年齢制限なし	受贈者の直系尊属（父母、祖父母等）
受贈者の要件	・　18歳以上の子又は孫 ・　居住無制限納税義務者又は 　　非居住無制限納税義務者	・　18歳以上の贈与者の直系卑属 ・　居住無制限納税義務者又は 　　非居住無制限納税義務者 ・　合計所得金額2,000万円以下 　　（一定の場合は1,000万円以下）
適　用　財　産	金銭	同左
住宅取得資金の　使　途	住宅用家屋の新築等（その敷地の取得及びその敷地の先行取得を含む。）	同左
家　屋　の　要　件	・　床面積40㎡以上（2分の1以上が居住用） ・　新築又は中古住宅※ 　※(1)　耐震基準を満たす住宅 　　(2)　耐火基準を満たす住宅	・　床面積40㎡以上240㎡以下（2分の1以上が居住用） ・　新築又は中古住宅※ 　※(1)　耐震基準を満たす住宅 　　(2)　耐火基準を満たす住宅
増改築の要件	工事費用100万円以上、かつ、床面積が40㎡以上	工事費用100万円以上、かつ、床面積が40㎡以上240㎡以下
贈与税額の　計　算　暦年課税		贈与により取得した財産の価額から非課税限度額を控除した金額に超過累進税率を乗じて計算します。
贈与税額の　計　算　精算課税	課税価格から基礎控除額110万円と特別控除額2,500万円を控除した金額に一律20％を乗じて計算します。（非課税との重複適用可）	贈与により取得した財産の価額から非課税限度額を控除した金額を課税価格とし、左記の計算をします。

5．相続税の課税関係

生　前　贈　与　加　算	非課税金額控除後の金額を加算*02
相続時精算課税適用財産	

（注）　相続開始年分の贈与の場合も非課税金額控除後の金額を加算します。（措令40の4の2⑪）

*02) 相続開始年分の被相続人からの贈与で生前贈与加算されるものは贈与税が非課税であることから、住宅取得等資金の非課税の適用が働く余地はないのですが、贈与税の配偶者控除に規定する特定贈与財産同様、非課税適用後の金額を生前贈与加算額としています。

Chapter 5

教育、結婚・子育て資金

教育資金の非課税

日本の誇る多様な人材の潜在力を引き出すことが「成長による富の創出」につながるため、「個人の可能性が最大限発揮され雇用と所得が拡大する国」を目指し、税制面からも新たな施策として教育資金の非課税制度が創設されました。

このSectionでは、教育資金の非課税制度について学習します。

1 教育資金の一括贈与を受けた場合の贈与税の非課税

>>問題集 問題1〜3

1. 趣 旨*01)

60歳以上の世代が資産全体の6割を保有する現状において、こうした資金を若年世代に移転させるとともに、教育・人材育成をサポートするため、子や孫に対し行われる教育資金の贈与について一定の額を非課税とする措置が創設されました。

*01) 扶養義務者間において必要な都度教育費等を贈与した場合も贈与税は非課税です。基礎導入編教科書Chapter8のSection3で学習済みです。

2. 概 要*02)

平成25年4月1日から令和8年3月31日までの間に、受贈者(30歳未満の者に限ります。)が、その直系尊属と信託会社との間の教育資金管理契約に基づき信託受益権を取得した場合、その直系尊属からの書面による贈与により取得した金銭を教育資金管理契約に基づき銀行等の営業所等において預金若しくは貯金として預入をした場合又は教育資金管理契約に基づきその直系尊属からの書面による贈与により取得した金銭若しくはこれに類するもの(以下「金銭等」といいます。)で金融商品取引業者の営業所等において有価証券を購入した場合には、その信託受益権、金銭又は金銭等の価額のうち1,500万円(学校等以外の者に支払われる金銭については、500万円を限度とします。)までの金額に相当する部分の価額については、贈与税の課税価格に算入しません。

*02) 文部科学省試算によると、幼稚園から大学まですべて公立の場合の学校教育費は約750万円(全て私立の場合約2,150万円)です。

3. 適用要件等 (措法70の2の2①②)

贈 与 者	贈与を受ける者の直系尊属
受 贈 者	・教育資金管理契約を締結する日において30歳未満の者*03) ・前年分の所得税の合計所得金額が1,000万円以下の者
非課税金額	① 受贈者一人につき1,500万円*04) ② 学校等以外の者に支払われる金銭については500万円
教育資金 の 使 途	①の場合…学校等に直接支払われる入学金、授業料等 ②の場合…学校等以外の者に支払われる役務の提供の対価 として直接支払われる金銭等

*03) 受贈者について国籍や住所に制限は設けられていません。

*04) 例えば、祖父と祖母の二人から1,000万円ずつの贈与を受けた場合でも非課税金額の限度は1,500万円となります。

<口座開設時から契約終了時までに必要な手続>

	教育資金口座 の 開 設 時	教育資金口座からの払出し 及 び 教育資金の 支 払 時	教育資金口座に 係る契約終了時
口座	祖父母　➡　孫 教育資金の一括贈与 1,500万円	・　中学入学等資金　　100万円 ・　高校入学等資金　　200万円 ・　大学入学等資金　1,000万円	① 受贈者30歳（40歳） ② 受贈者死亡 ③ 口座残高 0
手続	金融機関等の営業所等を経由して、教育資金非課税申告書を受贈者の納税地の所轄税務署長に提出	支払の事実を証する領収書等を教育資金口座を開設等した金融機関等の営業所に提出 ①　教育資金支払後に口座から引き出す場合 　➡　領収書の日付から1年以内 ②　①以外の場合 　➡　領収書の日付の翌年3月15日	①の場合 　1,500万円－（100万円＋200万円＋1,000万円）＝200万円 　➡　贈与税の申告書の提出 ②の場合 　➡　贈与税は非課税 ③の場合 教育資金以外の支出額がある場合 　➡　贈与税の申告書の提出

4. 教育資金口座開設時の手続

受贈者の手続	教育資金口座の開設等を行った上で教育資金非課税申告書をその口座の開設等を行った金融機関等の営業所等を経由[*05]して、信託や預入などをする日までに、受贈者の納税地の所轄税務署長に提出しなければなりません（教育資金非課税申告書は、金融機関等の営業所等が受理した日に税務署長に提出されたものとみなされます。）。 　なお、教育資金非課税申告書は、受贈者が既に教育資金非課税申告書を提出している場合には提出することができませんが、追加信託の場合には提出可能です。

*05) 法施行地にある金融機関等の営業所等に限り、非課税の手続を行うことができます。また、教育資金非課税申告書は金融機関等の営業所等を経由して提出するため、税務署での手続は不要です。なお、令和3年4月1日以降はオンラインにより手続を行うことができるようになりました。

5. 教育資金口座からの払出し時等の手続

受贈者の手続	教育資金口座からの払出し及び教育資金の支払を行った場合には、その支払に充てた金銭に係る領収書などその支払の事実を証する書類等を、次の(1)又は(2)の提出期限までに教育資金口座の開設等をした金融機関等の営業所等に提出する必要があります。[*06] (1)　教育資金を支払った後に支払った金額を教育資金口座から払出す方法を選択した場合 　➡　領収書等に記載された支払年月日から1年を経過する日 (2)　(1)以外の場合 　➡　領収書等に記載された支払年月日の属する年の翌年3月15日

*06) 提出書類の簡略化を進める目的で平成28年1月1日以降は領収書等に記載された支払金額が1万円以下で、かつ、その年中における合計支払金額が24万円に達するまでのものについて教育資金の内訳を記載した明細書でもよいとされました。

6．教育資金口座に係る契約終了時の手続

終　了　事　由	教育資金管理契約は、次に掲げる事由の区分に応じそれぞれに定める日のいずれか早い日に終了します。 (1)　その受贈者が30歳に達した日*07) (2)　その受贈者が死亡した日 (3)　教育資金口座の残額が零となった場合等において受贈者と取扱金融機関との間で教育資金管理契約を終了させる合意があった日
課　税　関　係	・　上記(1)又は(3)に掲げる事由に該当したことにより教育資金管理契約が終了した場合 　➡　非課税拠出額−教育資金支出額＞0*08)の場合には、残額について贈与税が課税*09)されます。 ・　上記(2)に掲げる事由に該当したことにより教育資金管理契約が終了した場合 　➡　残額について贈与税は課税されません。

7．契約終了前に贈与者が死亡した場合の取扱い

取扱金融機関への届出義務	贈与者に係る受贈者は、その贈与者が死亡した事実を知った場合には、速やかに、その贈与者が死亡した旨を取扱金融機関の営業所等に届け出なければならない*10)。
贈与者死亡時の課税関係	(1)　非課税拠出額から教育資金支出額を控除した残額（以下「管理残額」）がある場合 　➡　受贈者が贈与者から相続又は遺贈により取得したものとみなされ、贈与者の死亡に係る相続税の課税対象となります。 (2)　管理残額以外の財産を取得しなかった場合 　➡　生前贈与加算の規定は適用されません。 ただし、贈与者の死亡時に受贈者が次のいずれかに該当する場合を除く*11)。 ・23歳未満である場合 ・学校等に在学している場合 ・教育訓練を受けている場合

*07) 令和元年7月1日以後は、受贈者が30歳に達した場合であっても在学中又は教育訓練中であるときは、最長40歳に達するまで延長されます。ただし、学校等が修了した場合には、その年の翌年12月31日までの延長となります。

*08) 残額が0となった場合でも教育資金以外の目的で口座から引き出した額がある場合には贈与税が課税されることになります。なお、教育資金支出額に「管理残額」が含まれます。

*09) 直系尊属から贈与を受けた場合の贈与税の税率の特例の適用については、その残額は一般贈与財産とみなします。

*10) 届出を受けた取扱金融機関の営業所等は、その贈与者が死亡した日及び同日における管理残額を記録しなければならない。

*11) 令和5年4月1日以後に取得する信託受益権等については、贈与者から相続又は遺贈により財産を取得した全ての者に係る左記(1)の適用がないものとした場合における相続税の課税価格の合計額が5億円を超えるときは、この限りでない。

〔教育資金の範囲〕

(1)　学校等に対して直接支払われるもの

①　入学金、授業料、入園料、保育料、施設設備費又は入学（入園）試験の検定料など

②　学用品の購入費や修学旅行費や学校給食費など学校等における教育に伴って必要な費用など

(2)　学校等以外に対して直接支払われるもの

①　役務提供又は指導を行う者（学習塾や水泳教室など）に直接支払われるもの

②　教育（学習塾、そろばんなど）に関する役務の提供の対価や施設の使用料など

③　スポーツ又は文化芸術に関する活動その他教養の向上のための活動に係る指導への対価など

④　②の役務の提供又は③の指導で使用する物品の購入に要する金銭

⑤　通学定期代、留学のための渡航費等の交通費

設例1－1	教育資金の非課税

次の資料により、各設問における受贈者Aの贈与税の課税価格を求めなさい。

（設問1）　Aは令和7年1月5日祖父甲から教育資金として15,000千円の贈与を受け、B銀行の営業所を経由して教育資金非課税申告書を提出した。

（設問2）　Aが30歳に達したことにより教育資金管理契約が終了した。Aは高校入学資金・授業料として3,000千円、大学入学資金・授業料として8,000千円を同口座から払い出し、領収書を期限までにB銀行の営業所へ提出している。なお、Aは上記以外の払い出しはしていない。

（設問3）　上記において、Aが30歳に達する前に死亡したことにより教育資金管理契約が終了した場合。

解答

（設問1）

15,000千円－※15,000千円＝0円

※　15,000千円 ≦ 15,000千円　∴　15,000千円

（設問2）

15,000千円－3,000千円－8,000千円＝4,000千円（贈与税の申告が必要）

（設問3）

0円

解説

①　契約終了時に非課税拠出額から教育資金支出額を控除した残額がある場合には、贈与税の課税対象となります。

②　受贈者の死亡により教育資金管理契約が終了した場合には、贈与税は課税されません。

次の資料により、被相続人甲の死亡に伴う各相続人等の課税価格及び相続税額を答えなさい。

1　被相続人甲は令和 7 年 4 月22日に死亡した。相続人等は全員日本国内に住所を有している。

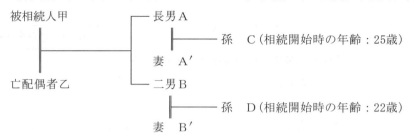

```
被相続人甲 ─────── 長男 A
　│　　　　　　　　　│───── 孫　C（相続開始時の年齢：25歳）
　│　　　　　　妻 A'
亡配偶者乙 ─────── 二男 B
　　　　　　　　　　　│───── 孫　D（相続開始時の年齢：22歳）
　　　　　　　　　妻 B'
```

2　各相続人等が被相続人甲から生前に贈与を受けていた財産は次のとおりである。

贈 与 年 月	受 贈 者	贈 与 財 産	贈与時の時価	相続開始時の時価	備考
令和 6 年 5 月	孫　　C	現　　金	15,000千円	15,000千円	（注）1
令和 6 年 5 月	孫　　D	現　　金	15,000千円	15,000千円	（注）2
令和 7 年 2 月	孫　　C	株　　式	30,000千円	33,000千円	
令和 7 年 3 月	孫　　D	株　　式	15,000千円	16,000千円	

（注）1　孫Cは令和 6 年分の贈与につき租税特別措置法70の 2 の 2 に規定する「教育資金の一括贈与
　　　　を受けた場合の贈与税の非課税」の適用を受けている。なお、被相続人甲の死亡時において、
　　　　非課税拠出額から教育資金支出額を控除した残額は5,000,000円であり、孫Cは学校等に在学中
　　　　又は教育訓練の受講中ではない。

（注）2　孫Dは令和 6 年分の贈与につき租税特別措置法70の 2 の 2 に規定する「教育資金の一括贈与
　　　　を受けた場合の贈与税の非課税」の適用を受けている。なお、被相続人甲の死亡時において、
　　　　非課税拠出額から教育資金支出額を控除した残額は6,000,000円である。

3　上記のほか、各相続人等が被相続人甲から相続又は遺贈により取得した財産等は下表のとおりである。

1．各人の課税価格				（単位：千円）	
相続人等 区　分	長　男　A	二　男　B	孫　　　C	孫　　　D	計
相 続・遺 贈 財 産	100,000	100,000		30,000	
教育資金の管理残額					
生 前 贈 与 加 算					
課 税 価 格					

2．各人の納付税額				（単位：円）	
相続人等 区　分	長　男　A	二　男　B	孫　　　C	孫　　　D	計
算 出 税 額	19,680,000	19,680,000	984,000	8,856,000	
相続税額の加算額					
贈 与 税 額 控 除 額					
納付税額（百円未満切捨）					

Ch 1

Ch 2

Ch 3

Ch 4

Ch 5

Ch 6

Ch 7

Ch 8

Ch 9

Ch 10

解答

1. 各人の課税価格　　　　　　　　　　　　　　　　　　　　　　　　　（単位：千円）

区　分＼相続人等	長　男　　Ａ	二　男　　Ｂ	孫　　　　Ｃ	孫　　　　Ｄ	計
相 続・遺 贈 財 産	100,000	100,000		30,000	
教育資金の管理残額			5,000	―	
生 前 贈 与 加 算			―	15,000	
課 　税 　価 　格	100,000	100,000	5,000	45,000	250,000

2. 各人の納付税額　　　　　　　　　　　　　　　　　　　　　　　　　　（単位：円）

区　分＼相続人等	長　男　　Ａ	二　男　　Ｂ	孫　　　　Ｃ	孫　　　　Ｄ	計
算 　出 　税 　額	19,680,000	19,680,000	984,000	8,856,000	
相続税額の加算額			196,800	1,771,200	
贈 与 税 額 控 除 額				―	
納付税額(百円未満切捨)	19,680,000	19,680,000	1,180,800	10,627,200	

解説

　　孫　　Ｃ

⑴　教育資金の管理残額

　　5,000,000円

⑵　生前贈与加算

　　―（管理残額以外の財産を取得していないため、株式30,000,000円は生前贈与加算されません。）

　　(注)　株式30,000,000円については、令和7年分の贈与税額の申告が必要となります。

⑶　相続税額の加算額

$$984,000円 \times \frac{20}{100} = 196,800円$$

　　孫　　Ｄ

⑴　教育資金管理残額

　　―（孫Ｄは23歳未満のため、管理残額の課税はありません。）

⑵　生前贈与加算

　　15,000,000円

⑶　相続税額の加算額

$$8,856,000円 \times \frac{20}{100} = 1,771,200円$$

⑷　贈与税額控除

　　―（相続開始年分の贈与で生前贈与加算されるものは、贈与税の非課税です。）

60歳以上の世代が資産全体の6割を保有する現状において、こうした資金を少子化対策に資するため、一括贈与により若年層の経済的な不安を解消し、結婚・出産を税制面からバックアップするために創設された非課税制度です。

このSectionでは、結婚・子育て資金の非課税制度について学習していきます。

1 結婚・子育て資金の一括贈与に係る贈与税の非課税

➤➤問題集 問題4～6

1. 趣 旨*01)

少子化対策が急務となっている現状において、将来の経済的不安が若年層に結婚・出産を躊躇させる大きな要因の一つとなっていることを踏まえ、祖父母や両親の資産を早期に移転させることを通じて、子や孫の結婚・出産・育児を後押しするため、これらに要する資金一括贈与に係る非課税措置が講じられました。

*01) 扶養義務者間において必要な都度生活費等を贈与した場合も贈与税は非課税です。基礎導入編教科書Chapter8のSection3で学習済みです。

2. 概 要

平成27年4月1日から令和7年3月31日までの間に、受贈者(18歳以上*02) 50歳未満の者に限ります。)が、その直系尊属と信託会社との間の結婚・子育て資金管理契約に基づき信託受益権を取得した場合、その直系尊属からの書面による贈与により取得した金銭を結婚・子育て資金管理契約に基づき銀行等の営業所等において預金若しくは貯金として預入をした場合又は結婚・子育て資金管理契約に基づきその直系尊属からの書面による贈与により取得した金銭若しくはこれに類するもの(以下「金銭等」といいます。)で金融商品取引業者の営業所等において有価証券を購入した場合には、その信託受益権、金銭又は金銭等の価額のうち1,000万円(結婚に際して支出する費用ついては、300万円を限度とします。)までの金額に相当する部分の価額については、贈与税の課税価格に算入しません。

*02) 民法改正に伴い、令和4年4月1日以後に信託受益権等を取得する受贈者については18歳以上となりました。

3. 適用要件等 (措法70の2の3①②)

贈 与 者	贈与を受ける者の直系尊属
受 贈 者	・契約締結日において18歳以上50歳未満の者*03) ・前年分の所得税の合計所得金額が1,000万円以下の者
非課税金額	受贈者一人につき1,000万円*04)
結婚・子育て資金の使途	① 妊娠に要する費用、出産に要する費用、子(小学校就学前)の医療費及び保育料のうち一定のもの ② 結婚に際して支出する婚礼(結婚披露を含みます。)に要する費用、住居に要する費用、及び引っ越しに要する費用のうち一定のもの

*03) 受贈者について国籍や住所に制限は設けられていません。

*04) 例えば、父と母の二人から600万円ずつの贈与を受けた場合でも非課税金額の限度は1,000万円となります。

Ch 1

Ch 2

Ch 3

Ch 4

Ch 5

Ch 6

Ch 7

Ch 8

Ch 9

Ch 10

＜口座開設時から契約終了時までに必要な手続＞

	結婚・子育て資金 口 座 の 開 設 時	結婚・子育て資金口座からの払出し 及び結婚・子育て資金の支払時	結婚・子育て資金口座に 係 る 契 約 終 了 時
口 座	祖父母 ➡ 孫 結婚・子育て資金の 一括贈与1,000万円	・ 結婚資金 300万円 ・ 妊娠・出産資金 100万円 ・ 子育て費用 400万円	① 受贈者50歳 ② 受贈者死亡 ③ 口座残高0
	⇩	⇩	⇩
手 続	金融機関等の営業所等 を経由して、結婚・子 育て資金非課税申告書 を受贈者の納税地の所 轄税務署長に提出	支払の事実を証する領収書を結婚・ 子育て資金口座を開設等した金融機 関等の営業所に提出 ① 結婚・子育て資金支払後に口座 から引き出す場合 　➡ 領収書の日付から1年以内 ② ①以外の場合 　➡ 領収書の日付の翌年3月15日	①の場合 　1,000万円 −（300万円＋100万円 　＋400万円）＝200万円 　➡ 贈与税の申告書の提出 ②の場合 　➡ 贈与税は非課税 ③の場合 　結婚・子育て資金以外の支出額が 　ある場合 　➡ 贈与税の申告書の提出

4．結婚・子育て資金口座開設時の手続

受贈者の手続	結婚・子育て資金口座の開設等を行った上で、結婚・子育て資金非課税申告書をその口座の開設等を行った金融機関等の営業所等を経由*05)して、信託や預入などをする日までに、受贈者の納税地の所轄税務署長に提出しなければなりません（結婚・子育て資金非課税申告書は、金融機関等の営業所等が受理した日に税務署長に提出されたものとみなされます。）。 　なお、結婚・子育て資金非課税申告書は、受贈者が既に結婚・子育て資金非課税申告書を提出している場合には提出することができませんが、追加信託の場合には提出可能です。

*05) 法施行地にある金融機関等の営業所等に限り、非課税の手続を行うことができます。また、教育資金非課税申告書は金融機関等の営業所等を経由して提出するため、税務署での手続は不要です。なお、令和3年4月1日以降はオンラインにより手続を行うことができるようになりました。

5．結婚・子育て資金口座からの払出し時等の手続

受贈者の手続	結婚・子育て資金口座からの払出し及び結婚・子育て資金の支払を行った場合には、その支払に充てた金銭に係る領収書などその支払の事実を証する書類等を、次の(1)又は(2)の提出期限までに結婚・子育て資金口座の開設等をした金融機関等の営業所等に提出する必要があります。 (1) 結婚・子育て資金を支払った後に支払った金額を結婚・子育て資金口座から払出す方法を選択した場合 　➡ 領収書等に記載された支払年月日から1年を経過する日 (2) (1)以外の場合 　➡ 領収書等に記載された支払年月日の属する年の翌年3月15日

6．結婚・子育て資金口座に係る契約終了時の手続

終　了　事　由	結婚・子育て資金管理契約は、次に掲げる事由の区分に応じそれぞれに定める日のいずれか早い日に終了するものとします。 (1)　その受贈者が50歳に達した日 (2)　その受贈者が死亡した日 (3)　結婚・子育て資金口座の残額が零となった場合等において受贈者と取扱金融機関との間で結婚・子育て資金管理契約を終了させる合意があった日
課　税　関　係	・　上記(1)又は(3)に掲げる事由に該当したことにより結婚・子育て資金管理契約が終了した場合 　➡　非課税拠出額－結婚・子育て資金支出額[*06] ＞ 0 [*07]の場合には、残額について贈与税が課税[*08]されます。 ・　上記(2)に掲げる事由に該当したことにより結婚・子育て資金管理契約が終了した場合 　➡　残額について贈与税は課税されません。

*06) 結婚費用については300万円を限度とする。

*07) 残額が0になった場合でも結婚・子育て資金以外の目的で口座から引き出した額がある場合には贈与税が課税されることになります。なお、結婚・子育て資金支出額に「管理残額」が含まれます。

*08) 直系尊属から贈与を受けた場合の贈与税の税率の特例の適用については、その残額は一般贈与財産とみなします。

7．契約終了前に贈与者が死亡した場合の取扱い[*09]

贈与者死亡時の課税関係	(1)　非課税拠出額から結婚・子育て資金支出額[*06]を控除した残額(以下「管理残額」)がある場合 　➡　受贈者が贈与者から相続又は遺贈により取得したものとみなされ、贈与者の死亡に係る相続税の課税対象となります。 (2)　管理残額以外の財産を取得しなかった場合 　➡　生前贈与加算の規定は適用されません。

*09) 教育資金の非課税制度とは異なり一定の受贈者を除くという規定はありません。
☞5-4ページのただし書き

〔結婚・子育て資金の非課税費目〕

(1)　婚礼費用・・・挙式や披露宴の会場費、衣装代、飲食代等（結婚指輪の購入費や新婚旅行代は除く）

(2)　新居の家賃等・・・新居の賃料、礼金・敷金・共益費、仲介手数料、契約更新料等

(3)　新居への転居費用・・・新居への引越費用

(4)　不妊治療費・・・人工・体外・顕微受精にかかる費用、処方箋に基づく医薬品代等

(5)　妊婦検診費用・・・母子保健法に基づく妊婦検診に要する費用

(6)　出産費用・・・入院費、分べん費、新生児管理保育料、入院中の食事代等

(7)　産後ケア費用・・・産後ケアに要する費用、産前産後の医療費・医薬品代、産後の検診費用等

(8)　子の医療費・・・治療費、予防接種代、乳幼児検診費用・医薬品代等（小学校就学前の子に限定）

(9)　子の育児費用・・・入園料、保育料、ベビーシッター費用等（小学校就学前の子に限定）

次の資料により各設問における受贈者Aの贈与税の課税価格を求めなさい。

（設問1）　A（28歳）は令和7年3月10日に祖父甲から結婚・子育て資金として10,000千円の贈与を受け、B銀行の営業所を経由して教育資金非課税申告書を提出した。

（設問2）　Aが50歳に達したことにより結婚・子育て資金管理契約が終了した。Aは結婚資金3,000千円、子育て資金5,000千円を同口座から払い出し、その領収書を期限までにB銀行の営業所へ提出している。

（設問3）　上記において、Aが50歳に達する前に死亡したことにより結婚・子育て資金管理契約が終了した場合。

解答

（設問1）

10,000千円－※10,000千円＝0円

※　10,000千円≦10,000千円　　∴　10,000千円

（設問2）

10,000千円－（3,000千円＋5,000千円）＝2,000千円（贈与税の申告が必要）

（設問3）

0円

解説

①　契約終了時に、非課税拠出額から結婚・子育て資金支出額を控除した残額がある場合には、贈与税の課税対象となります。

②　受贈者の死亡により結婚・子育て資金管理契約が終了した場合には、贈与税は課税されません。

次の資料により、被相続人甲の死亡に伴う各相続人等の課税価格及び相続税額を答えなさい。

1　被相続人甲は令和7年4月22日に死亡した。相続人等は全員日本国内に住所を有している。

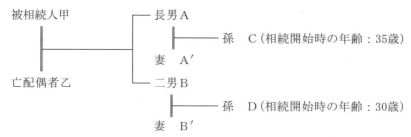

2　各相続人等が被相続人甲から生前に贈与を受けていた財産は次のとおりである。

贈 与 年 月	受 贈 者	贈 与 財 産	贈与時の時価	相続開始時の時価	備考
令和6年5月	孫　　C	現　　金	10,000千円	10,000千円	（注）1
令和6年5月	孫　　D	現　　金	10,000千円	10,000千円	（注）2
令和7年2月	孫　　C	株　　式	30,000千円	33,000千円	
令和7年3月	孫　　D	株　　式	14,000千円	15,000千円	

（注）1　孫Cは令和6年分の贈与につき租税特別措置法70の2の3に規定する「結婚・子育て資金の一括贈与を受けた場合の贈与税の非課税」の適用を受けている。なお、被相続人甲の死亡時において、非課税拠出額から結婚・子育て資金支出額を控除した残額は5,000,000円である。

（注）2　孫Dは令和6年分の贈与につき租税特別措置法70の2の3に規定する「結婚・子育て資金の一括贈与を受けた場合の贈与税の非課税」の適用を受けている。なお、被相続人甲の死亡時において、非課税拠出額から結婚・子育て資金支出額を控除した残額は6,000,000円である。

3　上記のほか、各相続人等が被相続人甲から相続又は遺贈により取得した財産等は下表のとおりである。

1．各人の課税価格				（単位：千円）
区　　分　＼相続人等	長　男　A	二　男　B	孫　　　　C	孫　　　　D	計
相続・遺贈財産	100,000	100,000		25,000	
結婚・子育て資金の管理残額					
生 前 贈 与 加 算					
課　税　価　格					

2．各人の納付税額				（単位：円）
区　　分　＼相続人等	長　男　A	二　男　B	孫　　　　C	孫　　　　D	計
算　出　税　額	19,680,000	19,680,000	984,000	8,856,000	
相続税額の加算額					
贈 与 税 額 控 除 額					
納付税額(百円未満切捨)					

Ch 1

Ch 2

Ch 3

Ch 4

Ch 5

Ch 6

Ch 7

Ch 8

Ch 9

Ch 10

解答

1．各人の課税価格 （単位：千円）

区　　分　＼　相続人等	長　男　　A	二　男　　B	孫　　　　　C	孫　　　　　D	計
相続・遺贈財産	100,000	100,000		25,000	
結婚・子育て資金の管理残額			5,000	6,000	
生前贈与加算			―	14,000	
課　税　価　格	100,000	100,000	5,000	45,000	250,000

2．各人の納付税額 （単位：円）

区　　分　＼　相続人等	長　男　　A	二　男　　B	孫　　　　　C	孫　　　　　D	計
算　出　税　額	19,680,000	19,680,000	984,000	8,856,000	
相続税額の加算額			196,800	1,771,200	
贈与税額控除額				―	
納付税額(百円未満切捨)	19,680,000	19,680,000	1,180,800	10,627,200	

解説

孫　C

(1) 結婚・子育て資金の管理残額

5,000,000円

(2) 生前贈与加算

―（管理残額以外の財産を取得していないため、株式30,000,000円は生前贈与加算されません。）

(注) 株式30,000,000円については、令和7年分の贈与税額の申告が必要となります。

(3) 相続税額の加算額

$984,000円 \times \dfrac{20}{100} = 196,800円$

孫　D

(1) 結婚・子育て資金の管理残額

6,000,000円

(2) 生前贈与加算

14,000,000円

(3) 相続税額の加算額

$8,856,000円 \times \dfrac{20}{100} = 1,771,200円$

(4) 贈与税額控除

―（相続開始年分の贈与で生前贈与加算されるものは、贈与税の非課税です。）

【教育資金の非課税と結婚・子育て資金の非課税との比較】

項　　　　目	教育資金の非課税	結婚・子育て資金の非課税
目　　的	教育・人材育成	少子化対策
期　　間	平成25年4月1日〜令和5年3月31日	平成27年4月1日〜令和5年3月31日
受　贈　者	・30歳未満の者 ・前年分の合計所得金額1,000万円以下の者	・18歳以上50歳未満の者 ・前年分の合計所得金額1,000万円以下の者
贈　与　者	受贈者の直系尊属	受贈者の直系尊属
限　度　額	受贈者1人につき1,500万円 （学校等以外の場合には500万円）	受贈者1人につき1,000万円 （結婚費用の場合には300万円）
使　　途	教育資金	結婚・子育て資金
終　了　事　由	①　受贈者が30歳（最長40歳）に達した日 ②　受贈者が死亡した日 ③　口座残額が零となった場合等に終了の合意があった日	①　受贈者が50歳に達した日 ②　受贈者が死亡した日 ③　口座残額が零となった場合等に終了の合意があった日
契約終了時の課税関係	①　終了事由が上記①③の場合 ➡　残額について贈与税の課税 ②　終了事由が上記②の場合 ➡　残額は贈与税が非課税	同　左
契約終了前に贈与者が死亡した時の課税関係	①　管理残額を相続又は遺贈により取得したものとみなし、相続税を課税 ②　管理残額以外の財産を取得しなかった場合には、生前贈与加算の適用なし ただし、贈与者の死亡時に受贈者が次のいずれかに該当する場合を除く。 ・　23歳未満である場合 ・　学校等に在学している場合 ・　教育訓練を受けている場合 なお、令和5年4月1日以後に取得する信託受益権等については、贈与者から相続又は遺贈により財産を取得した全ての者に係る左記(1)の適用がないものとした場合における相続税の課税価格の合計額が5億円を超えるときは、この限りでない。	同　左（ただし書き以降の取扱いは無し）

【税制改正に伴う適用期間別の取扱い】

1．教育資金の非課税

税制改正年度	適用期間（信託受益権等の取得時期）	取扱い
－	平成25年4月1日～平成31年3月31日	管理残額の課税なし
令和元年度	平成31年4月1日～令和3年3月31日	贈与者の死亡前3年以内の贈与については管理残額の課税あり
		管理残額に対応する相続税額については2割加算の適用なし※
令和3年度 令和5年度	令和3年4月1日～令和8年3月31日	管理残額の課税あり（3年ルールの撤廃）
		管理残額に対応する相続税額についても2割加算の適用あり

2．結婚・子育て資金の非課税

税制改正年度	適用期間（信託受益権等の取得時期）	取扱い
－	平成27年4月1日～令和3年3月31日	管理残額の課税あり
		管理残額に対応する相続税額については2割加算の適用なし※
令和3年度 令和5年度	令和3年4月1日～令和7年3月31日	管理残額の課税あり
		管理残額に対応する相続税額についても2割加算の適用あり

※　以下の算式により2割加算額を計算します。

〔算　式〕

$$\left(算出相続税額 － 算出相続税額 \times \frac{管理残額}{相続税の課税価格} \right) \times \frac{20}{100} = 2割加算額$$

別表第十一㈠

教 育 資 金 非 課 税 申 告 書

税務署長殿　　　　　　　　　　　　　　　　　　　　　令和　　年　　月　　日

受 贈 者	ふ り が な 氏　　　　名	
	住 所 又 は 居 所	
	個 人 番 号	
	生年月日（年齢）	平・令　　　.　　　.　　　　　（　　　　歳）
受 贈 者 の 代 理 人	ふ り が な 氏　　　　名	
	住 所 又 は 居 所	

　下記の信託受益権、金銭又は金銭等について租税特別措置法第70条の2の2第1項本文の規定の適用を受けたいので、この旨申告します。

贈与者		贈与者から取得をしたもの			左のうち非課税の適用を受ける信託受益権、金銭又は金銭等の価額
		信託受益権、金銭又は金銭等の別	信託受益権、金銭又は金銭等の価額	金銭又は金銭等の取得年月日	
ふりがな 氏　名		信託受益権 金銭 金銭等			
住所又は居所					
生年月日	明・大・昭・平　　　.　　.				
続柄					
ふりがな 氏　名		信託受益権 金銭 金銭等			
住所又は居所					
生年月日	明・大・昭・平　　　.　　.				
続柄					

取扱金融機関の営業所等	名　称		法人番号	
	所在地			

既に教育資金非課税申告書又は追加教育資金非課税申告書を提出したことがある場合	非課税拠出額	取扱金融機関の営業所等		提出先の税務署
		名称	所在地	
				税務署

（摘要）	取扱金融機関の営業所等の 受理年月日

（用紙　日本産業規格　Ａ４）

別表第十二(一)

Ch 1
Ch 2
Ch 3
Ch 4
Ch 5
Ch 6
Ch 7
Ch 8
Ch 9
Ch 10

結 婚 ・ 子 育 て 資 金 非 課 税 申 告 書

税務署長殿 　　　　　　　　　　　　　　　　　　　　令和　　年　　月　　日

受贈者	ふ り が な	
	氏　　　名	
	住 所 又 は 居 所	
	個 人 番 号	
	生 年 月 日 （ 年 齢 ）	昭・平　　　．　　　．　　　　　（　　　　歳）

　下記の信託受益権、金銭又は金銭等について租税特別措置法第70条の2の3第1項本文の規定の適用を受けたいので、この旨申告します。

贈与者		贈与者から取得をしたもの			左のうち非課税の適用を受ける信託受益権、金銭又は金銭等の価額
		信託受益権、金銭又は金銭等の別	信託受益権、金銭又は金銭等の価額	金銭又は金銭等の取得年月日	
ふりがな		信託受益権			
氏　名					
住所又は居所		金銭			
生年月日	明・大・昭・平　　．　　．	金銭等			
続柄					
ふりがな		信託受益権			
氏　名					
住所又は居所		金銭			
生年月日	明・大・昭・平　　．　　．	金銭等			
続柄					

取扱金融機関の営業所等	名　　称		法人番号		
	所 在 地				

既に結婚・子育て資金非課税申告書又は追加結婚・子育て資金非課税申告書を提出したことがある場合	非課税拠出額	取扱金融機関の営業所等		提出先の税務署
		名称	所在地	
				税務署

（摘要）	取扱金融機関の営業所等の受理年月日

（用紙　日本産業規格　Ａ４）

<教育、結婚・子育て資金管理契約の金融機関ごとの流れ>

(1) 信託銀行※

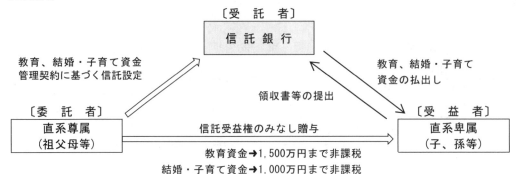

(2) 銀　行※

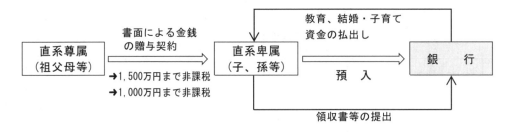

(3) 証券会社※

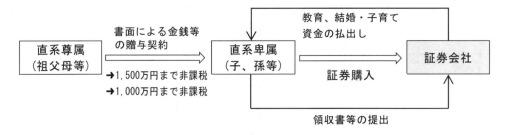

※　国内に所在する金融機関が非課税の対象となります。

Chapter 6

財産評価の概要

1

法定評価と通達評価

相続税・贈与税は財産課税のため、個々の財産の評価額が重要となります。

この Section では、財産評価の基本的なルールについて学習します。

1 概　要

1．評価の原則（法22）*01)

　下記3．に掲げる特別の定めのあるものを除くほか、相続、遺贈又は贈与により取得した財産の価額は、その財産の取得の時における時価により、その財産の価額から控除すべき債務の金額は、その時の現況によります。

*01) 相続税や贈与税の課税価格を構成する各財産の金額は「時価」によると明記されています。この時価の概念は通常「売却可能額」と解釈されています。

2．時価の意義（評通1(2)）*02)

　時価とは、課税時期（相続、遺贈若しくは贈与により財産を取得した日若しくは取得したものとみなされた日をいいます。）において、それぞれの財産の現況に応じ、不特定多数の当事者間で自由な取引が行われる場合に通常成立すると認められる価額をいい、その価額は、財産評価基本通達の定めによって評価した価額によります。

*02) 財産評価基本通達によって個々の財産ごとに具体的な「時価」の算定方法を定めていて、その算定金額のことを「相続税評価額」といいます。

3．評価の特例（法23〜26）*03)

　相続税法において財産の評価方法が定められているものは以下の財産のみです。これらの財産は、時価により評価することが困難等の理由から、相続税法でその評価を規定しています。（法定評価）

(1)　地上権及び永小作権

(2)　配偶者居住権等

(3)　定期金に関する権利

(4)　立　木

*03) 法定評価をすべき権利等の具体的計算方法については、応用編教科書Chapter4以降で学習します。

4．土地評価審議会（法26の2）*04)

　土地の評価に関する事項で国税局長がその意見を求めたものについて調査審議するために、国税局ごとに土地評価審議会が設置されています。

*04) 東京国税局では経団連専務理事や東京税理士会会長、日本不動産鑑定士協会連合会副会長、東京商工会議所総務統括部長、みずほ信託銀行常務執行役員など20名が審議会委員となっています。

2 所有方法による評価

1．共有財産*01)（評通2）

　　共有財産の持分の価額は、その財産（全体）の価額をその共有者の持分に応じてあん分した価額によって評価します。

*01) 共有財産とは、「共有」状態にある財産のことをいい、各々が持分の割合の範囲で所有権を持ち、一つの財産についてどこの部分を所有するというものではありません。

> ─＜例　題＞─
>
> 　被相続人甲の死亡により、次の宅地及び家屋を配偶者乙と子Aで$\frac{1}{2}$ずつの共有財産とした。それぞれの評価額を求めなさい。
>
> ⑴　宅　地　50,000千円
>
> ⑵　家　屋　30,000千円

（解　答）

配偶者乙　①　宅　地　$50,000千円 \times \frac{1}{2} = 25,000千円$

　　　　　②　家　屋　$30,000千円 \times \frac{1}{2} = 15,000千円$

子　　A　①　宅　地　$50,000千円 \times \frac{1}{2} = 25,000千円$

　　　　　②　家　屋　$30,000千円 \times \frac{1}{2} = 15,000千円$

2．区分所有財産*02)（評通3）

　　区分所有財産とは、1棟の建物の構造上区分され、独立して利用可能な部分について成立する所有権の対象となる財産をいいます。

　　この区分所有に係る財産の各部分の価額は、その財産全体の評価額を基とし、各部分の使用収益*03)等の状況を勘案して計算した各部分に対応する価額によって評価します。

*02) 代表的な例として事業用ビルや分譲マンションがあります。共有財産とは異なり1フロアや1室ごとに別個の所有権が成立している建物です。

*03) 物を直接に利活用して利益・利便を得ることをいいます。

> ─＜例　題＞─
>
> 　次の宅地及び家屋の評価額を求めなさい。なお、被相続人甲が所有していた部分は3階とその敷地である。
>
> ⑴　宅　地　300㎡　　120,000千円（宅地全体の相続税評価額）
>
> ⑵　家　屋　450㎡　　60,000千円（家屋全体の相続税評価額）
>
> 　この家屋は、⑴の宅地の上に建てられている3階建てのビルで各階床面積は150㎡で均等である。

（解　答）

⑴　宅　地　$120,000千円 \times \dfrac{{}^{※}100㎡}{300㎡} = 40,000千円$

　　　　　※　$300㎡ \times \dfrac{150㎡}{450㎡} = 100㎡$

⑵　家　屋　$60,000千円 \times \dfrac{150㎡}{450㎡} = 20,000千円$

Section

2 邦貨換算

外国税額控除の計算では、採用すべき為替相場について学習しました。

この Section では、資産及び負債の評価上採用すべき為替相場について学習します。

1 邦貨換算等

>>問題集 問題1

1. 邦貨換算（評通4－3）

(1) 外貨建てによる財産及び国外にある財産の邦貨換算

① 原 則 納税義務者の取引金融機関が公表する課税時期の最終
為替相場（対顧客直物電信買相場（ＴＴＢ））*01)

② 特 例 為替相場の確定している先物外国為替契約を締結して
いる場合

➡ 先物外国為替契約により確定している為替相場

*01) 課税時期に相場がない場合
は課税時期前の相場のうち
課税時期に最も近い日の相
場とします。

(2) 外貨建債務の邦貨換算

対顧客直物電信売相場（ＴＴＳ）

2. 国外財産の評価（評通5－2）

(1) 原 則

財産評価基本通達により評価します。

(2) 財産評価基本通達により評価できない財産

① 財産評価基本通達に準じて又は売買実例価額、精通者意見価格等
を参酌して評価します。

② 課税上弊害がない場合

財産の取得価額を基にその財産が所在する地域若しくは国に
おけるその財産と同一種類の財産の一般的な価格動向に基づき
時点修正して求めた価額又は課税時期後にその財産を譲渡した
場合における譲渡価額を基に課税時期現在の価額として算出し
た価額により評価することができます。

令和7年4月7日に死亡した被相続人甲の相続により次に掲げる者が次の財産を取得又は債務を負担している。この場合の各財産の評価額及び債務控除の金額を求めなさい。

⑴　配偶者乙

① 米国所在土地　　　　　300,000ドル

② 米国所在家屋　　　　　100,000ドル

この家屋は①の土地の上に建てられているものである。

③ 銀行借入金　　　　　　80,000ドル

⑵　子　A

① 米国債　　　　　　　　20,000ドル

② ドル建預金　　　　　　15,000ドル

この外貨建預金は、先物外国為替契約が締結されており、契約により確定している先物相場は1ドル110.00円である。

⑶　子　B

① 米国所在土地　　　　　300,000ドル

購入価額を基に米国における価格動向に基づき時点修正して求めた価額310,000ドル

② 米国所在家屋　　　　　155,000ドル

譲渡価額を基に課税時期現在の価額として算出した金額135,000ドル

	4月5日	4月6日・4月7日	4月8日
対顧客直物電信買相場（TTB）	113.25円	取引なし	113.50円
仲　　　　　値（TTM）	114.25円	取引なし	114.50円
対顧客直物電信売相場（TTS）	115.25円	取引なし	115.50円

解答

⑴　配偶者乙

① 300,000ドル×113.25円＝33,975,000円

② 100,000ドル×113.25円＝11,325,000円

③ 80,000ドル×115.25円＝9,220,000円

⑵　子　A

① 20,000ドル×113.25円＝2,265,000円

② 15,000ドル×110.00円＝1,650,000円

⑶　子　B

① 310,000ドル×113.25円＝35,107,500円

② 135,000ドル×113.25円＝15,288,750円

解説

① 邦貨換算に用いる相場については納税者有利と押さえておきましょう。

② 財産評価基本通達により評価できない財産については、相続開始時の時価に基づいて適正額の評価を行います。

········ *Memorandum Sheet* ········

Chapter 7

不動産の評価Ⅰ

宅地及び家屋の評価 1

宅地と家屋の評価は、各方式に基づいて計算を行います。

この Section では、評価の方式及び評価額の計算について学習します。

1 宅地の評価

1. 概　要（評通7）

　　土地の価額は、原則として地目*01)の別に評価し、宅地の評価には路線価方式と倍率方式があります。

　　一般的に路線価方式は市街地的形態を形成する地域にある宅地に、倍率方式はそれ以外の地域にある宅地に適用されます。*02)

*01) 地目には宅地、田、畑、山林、雑種地等があります。

*02) 評価対象の宅地がどちらの方式によるかは国税庁HPの「倍率表」で確認することができます。右ページ参照

2. 路線価方式による評価（評通13）

　　路線価方式とは、その宅地の面する路線に付された路線価*03)に基づいて計算した金額によって評価する方式をいい、市街地的形態を形成する地域にある宅地について適用されます。

*03) 毎年7月に国税庁から公表されるもので1月1日時点での路線に面する宅地1㎡当たりの土地評価額のことです。

【基本算式】

路線価×各補正率×地積

3. 倍率方式による評価（評通21）

　　倍率方式とは、固定資産税評価額*04)に国税局長が一定の地域ごとにその地域の実情に即するように定める倍率を乗じて計算した金額によって評価する方式をいい、路線価方式により評価する宅地以外の宅地について適用されます。

*04) 固定資産税などを計算するための基準価格で、市町村（東京23区は東京都）が決めています。なお、固定資産税評価額は市役所等で固定資産税評価証明書を取得して確認することができます。

【基本算式】

固定資産税評価額^(注)×倍率

　　（注）　評価対象宅地について土地課税台帳*05)の地積と実際の地積が異なる場合には、固定資産税評価額を修正します。

$$固定資産税評価額 \times \frac{実際の地積}{土地課税台帳の地積}$$

*05) 固定資産の状況や固定資産税の価格等を明らかにするために市町村（東京23区は東京都）に備えられた台帳のことです。

2　家屋の評価

1．概　要（評通88）

　　家屋の価額は、原則として一棟の家屋ごとに評価し、倍率方式が適用されます。

　　なお、家屋の価額を評価する場合におけるその家屋の固定資産税評価額に乗ずる倍率は「1.0」[*01]です。

*01) 家屋の評価倍率は常に1.0であるため固定資産税評価額がそのまま評価額となります。

2．倍率方式による評価（評通89）

【基本算式】

固定資産税評価額×1.0（＝自用家屋としての価額[*02]）

*02) 自用家屋としての価額とは、自己が所有又は利用するとした場合の価額です。

─＜例　題＞─

　　次の家屋の評価額を求めなさい。

　　固定資産税評価額　　35,000千円

（解　答）

35,000千円×1.0＝35,000千円

令和 6 年分　　　倍　率　表　　　2頁

市区町村名：池田市　　　　　　　　　　　　　　　　　　　豊能税務署

音順	町（丁目）又は大字名	適　用　地　域　名	借地権割合	固定資産税評価額に乗ずる倍率等						
			%	宅地	田	畑	山林	原野	牧場	池沼
ふ	伏尾町	市街化調整区域								
		1　国道423号線沿い								
		(1)　新千代橋以北	50	1.1	中 65	中 68	純 23	純 23	―	―
		(2)　新千代橋以南	50	1.1	中 73	中 68	純 26	純 26	―	―
		2　上記以外の地域								
		(1)　国道423号線以西								
		イ　新吉田橋以南	50	1.1	中 49	中 67	純 20	純 20	―	―
		ロ　上記以外の地域	50	1.1	中 36	中 49	純 20	純 20	―	―
		(2)　上記以外の地域	50	1.1	中 35	中 49	純 19	純 19	―	―
	古江町	国道173号線沿い	50	1.1	中 77	中 109	中 27	中 27	―	―
		上記以外の地域	50	1.1	中 58	中 87	純 20	純 20	―	―
よ	吉田町	全域	50	1.1	中 52	中 74	純 20	純 20	―	―
	上記以外	全域	―	路線	比準	比準	比準	比準		

3 路線価方式による宅地の評価

1．路線価方式の基礎

　　路線価方式とは、その宅地の面する路線に付された路線価を基礎としてその宅地の形状、路線に接している状況等による補正をした金額によって評価する方式をいいます。

2．評価額の計算方法

⑴　一路線に接する宅地の評価（評通15）

【基本算式】 *01)

① 　路線価×<u>奥行価格補正率</u>(注)

② 　①×地積（＝自用地としての価額）

（注）　奥行距離の長短に応ずる調整率です。

*01) 評価算式の基本フォームは１㎡当たりの評価額（円未満切捨）×地積となります。なお、自用地としての価額とは、自己が所有又は利用するとした場合の価額です。

【路線価方式の評価要素】

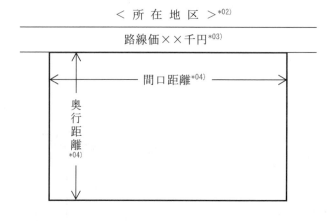

＜所在地区＞*02)

路線価××千円*03)

間口距離*04)

奥行距離*04)

*02) 「普通住宅地区」や「普通商業・併用住宅地区」などがあり、地区によって各種補正率が異なります。

*03) 「路線価」は標準的な画地の１㎡当たりの価額で千円単位表記となります。

*04) 「間口距離」とは正面路線に接する部分の距離です。「奥行距離」とは路線から垂線を伸ばした場合の奥までの距離です。

＜例　題＞

次の宅地（300㎡）の評価額を求めなさい。

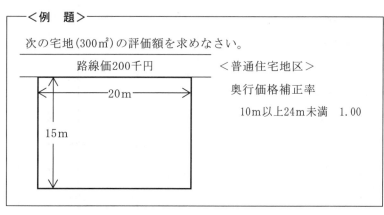

路線価200千円

20m

15m

＜普通住宅地区＞

奥行価格補正率

10m以上24m未満　1.00

（解　答）

⑴　200千円×1.00＝200千円

⑵　200千円×300㎡＝60,000千円

⑵ 正面と側方に路線がある宅地の評価（評通16）

【基本算式】

① 正面路線価$^{(注)1}$×奥行価格補正率

② 側方路線価×奥行価格補正率×側方路線影響加算率$^{(注)2}$

③ （①＋②）×地積

（注）1 　正面路線とは、その宅地の接する路線価に奥行価格補正率
　　　　を乗じて計算した価額の高い方の路線です。$^{*05)}$

（注）2 　角地又は準角地に応ずる調整率で、角地とは正面と側面と
　　　　で2路線に接する宅地、準角地とは1路線の屈折部の内側に
　　　　位置する宅地です。

*05) 奥行価格補正率を乗じた後
の価額が同額となった場合
には、間口距離の広い方が
正面路線です。

＜図　解＞

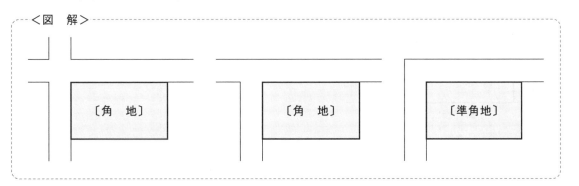

＜例　題＞

次の宅地（500㎡）の評価額を求めなさい。

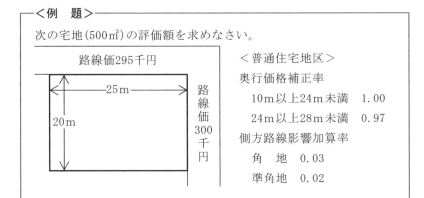

＜普通住宅地区＞

奥行価格補正率

　10m以上24m未満　1.00

　24m以上28m未満　0.97

側方路線影響加算率

　角　地　0.03

　準角地　0.02

（解　答）

⑴ $^{※}$295千円×1.00＋300千円×0.97×0.02＝300,820円

　※　300千円×0.97＝291千円＜295千円×1.00＝295千円

　　∴　295千円$^{*06)}$

⑵ 300,820円×500㎡＝150,410,000円

*06) 正面路線の逆転です。路線
価の金額が近い場合には、
とくに注意して下さい。

(3) 正面と裏面に路線がある宅地の評価 (評通17)

【基本算式】

① 正面路線価×奥行価格補正率

② 裏面路線価×奥行価格補正率×二方路線影響加算率(注)

③ (①＋②)×地積

(注) 裏面路線に応ずる調整率です。

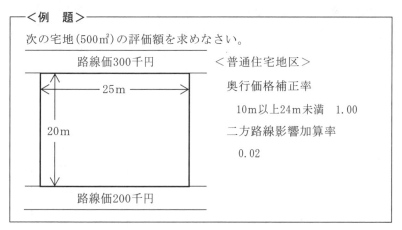

―＜例　題＞―――――――――――――

次の宅地(500㎡)の評価額を求めなさい。

路線価300千円　　　＜普通住宅地区＞

奥行価格補正率

10m以上24m未満　1.00

二方路線影響加算率

0.02

路線価200千円

（解　答）

(1) ※300千円×1.00＋200千円×1.00×0.02＝304千円

※　300千円（×1.00）＞200千円（×1.00）　∴　300千円*07)

(2) 304千円×500㎡＝152,000千円

*07) 正面路線と裏面路線の場合には奥行距離は同じため、路線価を大小比較するだけで判定できます。

【参　考】2以上の地区区分に宅地がある場合の評価

正面路線の地区区分に基づく補正率を適用して評価します。*08)

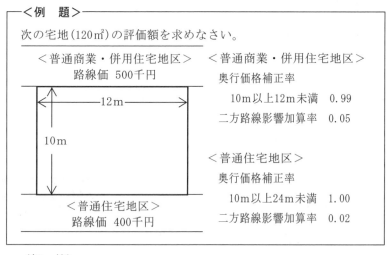

―＜例　題＞―――――――――――――

次の宅地(120㎡)の評価額を求めなさい。

＜普通商業・併用住宅地区＞　　＜普通商業・併用住宅地区＞
路線価　500千円　　　　奥行価格補正率

10m以上12m未満　0.99

二方路線影響加算率　0.05

＜普通住宅地区＞

奥行価格補正率

10m以上24m未満　1.00

二方路線影響加算率　0.02

＜普通住宅地区＞
路線価　400千円

*08) 正面路線が「普通商業・併用住宅地区」であれば裏面路線が「普通住宅地区」に所在していても、評価上の所在地区は正面路線の所在する地区となります。したがって、普通商業・併用住宅地区の奥行価格補正率及び二方路線影響加算率を採用します。

（解　答）

(1) 500千円×0.99＋400千円×0.99×0.05＝514,800円

(2) 514,800円×120㎡＝61,776千円

⑷　3方又は4方に路線がある宅地の評価（評通18）

　3方又は4方に路線がある宅地の評価は、⑵正面と側方に路線がある宅地の評価と⑶正面と裏面に路線がある宅地の評価を併用して計算します。

【基本算式】
① 正面路線価×奥行価格補正率
② 側方路線価×奥行価格補正率×側方路線影響加算率
③ 側方路線価×奥行価格補正率×側方路線影響加算率
④ 裏面路線価×奥行価格補正率×二方路線影響加算率
⑤ （①＋②＋③＋④）×地積

＜例　題＞

次の宅地（360㎡）の評価額を求めなさい。

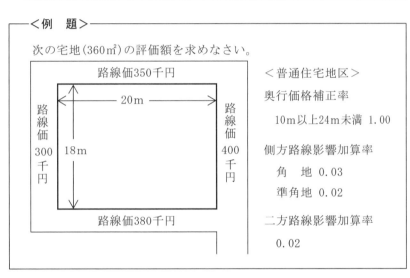

＜普通住宅地区＞

奥行価格補正率

　10m以上24m未満　1.00

側方路線影響加算率

　角　地　0.03

　準角地　0.02

二方路線影響加算率

　0.02

（解　答）[09]

⑴　※400千円×1.00＋380千円×1.00×0.03＋350千円×1.00×0.02
　＋300千円×1.00×0.02＝424,400円

　※　400千円×1.00＞380千円×1.00＞350千円×1.00＞300千円×1.00

　∴　400千円

⑵　424,400円×360㎡＝152,784千円

[09] 路線価が複数ある場合は、正面路線の決定を優先し、次に側方路線と裏面路線を捉えていきます。さらに、角地や準角地の判定は正面路線からみて判定します。

(5) 間口が狭小な宅地の評価（評通20－4(1)）

間口が狭小な宅地は、その価値効用が低いため路線価に調整率を乗じて減額計算します。

【基本算式】
① 正面路線価×奥行価格補正率×間口狭小補正率^(注)（円未満切捨）
② ①×地積

（注）　間口狭小補正率[*10]
　　　　間口距離に応ずる調整率です。

[*10] 間口が狭小な宅地に該当するか否かは正面路線の間口距離で判定します。

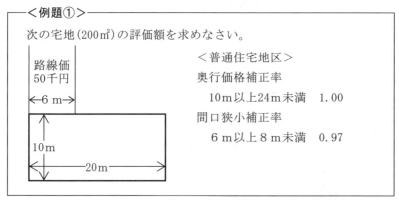

＜例題①＞

次の宅地（200㎡）の評価額を求めなさい。

路線価
50千円

←6m→

10m

20m

＜普通住宅地区＞
奥行価格補正率
　　10m以上24m未満　1.00
間口狭小補正率
　　6m以上8m未満　0.97

（解　答）

(1)　50千円×1.00×0.97＝48,500円

(2)　48,500円×200㎡＝9,700千円

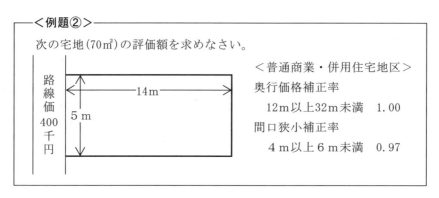

＜例題②＞

次の宅地（70㎡）の評価額を求めなさい。

路線価
400千円

←14m→

5m

＜普通商業・併用住宅地区＞
奥行価格補正率
　　12m以上32m未満　1.00
間口狭小補正率
　　4m以上6m未満　0.97

（解　答）

(1)　400千円×1.00×0.97＝388千円

(2)　388千円×70㎡＝27,160千円

(6) 奥行が長大な宅地の評価方法（評通20－4(2)）

　　評価しようとする宅地の奥行が間口に比して非常に長大である場合には、奥行価格補正率のみの評価では補正しきれないため、減額調整率を乗じて計算します。

【基本算式】
① 正面路線価×奥行価格補正率×奥行長大補正率^(注)（円未満切捨）
② ①×地積

（注）　奥行長大補正率[11]

　　　奥行距離を間口距離で除した倍数に応ずる調整率です。

$$\frac{奥行距離(m)}{間口距離(m)}＝倍数$$

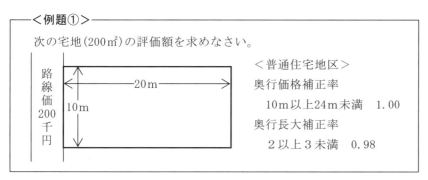

*11) 奥行長大な宅地に該当するか否かは正面路線を基に判定します。

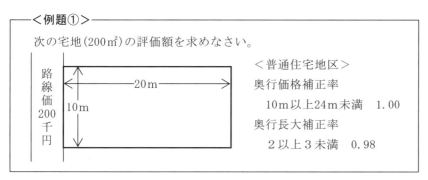

──＜例題①＞──

次の宅地（200㎡）の評価額を求めなさい。

路線価200千円　│←20m→│　10m

＜普通住宅地区＞
奥行価格補正率
　　10m以上24m未満　1.00
奥行長大補正率
　　2以上3未満　0.98

（解　答）

(1)　200千円×1.00×[※]0.98＝196千円　※ $\frac{20m}{10m}=2$　∴　0.98

(2)　196千円×200㎡＝39,200千円

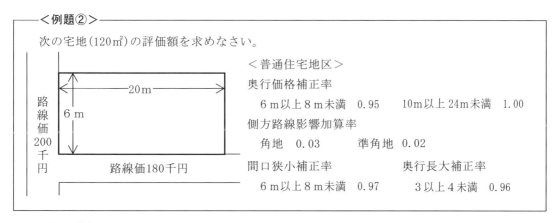

──＜例題②＞──

次の宅地（120㎡）の評価額を求めなさい。

路線価200千円　│←20m→│　6m　路線価180千円

＜普通住宅地区＞
奥行価格補正率
　　6m以上8m未満　0.95　　10m以上24m未満　1.00
側方路線影響加算率
　　角地　0.03　　　　準角地　0.02
間口狭小補正率　　　　　　　　奥行長大補正率
　　6m以上8m未満　0.97　　　3以上4未満　0.96

（解　答）

(1)　(200千円×1.00＋180千円×0.95×0.03)＝205,130円

(2)　205,130円× $\boxed{0.97×^{※}0.96}$ ＝191,017円（円未満切捨）　※ $\frac{20m}{6m}=3.33\cdots$　∴　0.96

間口狭小補正率と奥行長大補正率の連乗後で円未満の端数を切り捨てます。

(3)　191,017円×120㎡＝22,922,040円

宅地及び家屋の貸借に係る評価 1

宅地や家屋について貸借があった場合、貸主と借主とで評価が異なります。

この Section では、貸主と借主の評価額の計算について学習します。

1 賃貸借契約

≫≫問題集 問題3〜5

賃貸借契約とは、当事者の一方がある物の使用及び収益を相手方にさせることを約し、相手方がこれに対してその賃料を支払うことを約することによって効力を生ずる契約のことをいい、特に不動産賃貸借の場合には、土地の賃借人を「借地人」、建物の賃借人を「借家人」と呼びます。

また、土地や建物についての賃貸借契約は、一般に借地借家法*01)に基づいたものが多く、借地人は土地所有者から借地権（他人の土地を借りて自己所有の建物を建てられる権利です。）を設定してもらいます。一方、借地権を設定して、他人に自己所有の土地を貸している場合のその土地のことを貸宅地といいます。

*01) 借主側の保護を目的とした法律で契約期間の満了後もその契約が更新されます。一方、貸主側は長期に亘り土地の利用について制限を受けてしまいます。

<一般的な土地の賃貸借契約>

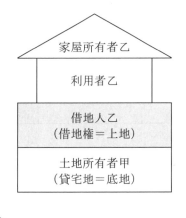

① 借地権設定時*02)
借地人は適正額の権利金を支払います。

② 借地権設定後*03)
借地人は適正額の通常の地代（底地の使用料）を支払います。

③ 借地権解消時*04)
土地所有者が借地人に立退料を支払います。

*02) 権利金の支払いは上地部分を土地所有者から買い取ったと考えます。

*03) 借地人が買い取った部分は上地部分だけですので底地使用料として通常の地代を支払います。

*04) 借地人が買い取った上地部分を土地所有者が買い戻すために立退料を支払います。

Ch 1

Ch 2

Ch 3

Ch 4

Ch 5

Ch 6

Ch 7

Ch 8

Ch 9

Ch 10

2 借地権の評価（評通27）

【基本算式】

自用地としての価額×借地権割合(注)

（注） 90%～30%の範囲で10%ごとに設定されているもので、
商業地域ほど高い割合となっています。

3 貸宅地*01)の評価（評通25）

*01) 宅地全体の価額から借地権の価額を差し引いた価額が貸宅地の評価となります。つまり、借地権と貸宅地の評価額を合計すると自用地としての価額になります。

【基本算式】

自用地としての価額×（1－借地権割合）

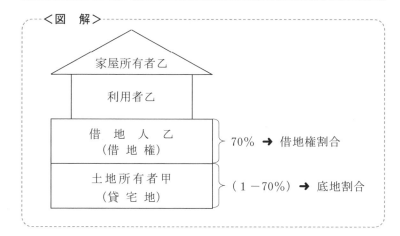

＜図　解＞

家屋所有者乙

利用者乙

借　地　人　乙
（借　地　権）　　70%　→　借地権割合

土地所有者甲
（貸　宅　地）　　（1－70%）　→　底地割合

┌─＜例　題＞─────────────────────────

次の宅地の評価を行いなさい。（借地権割合 60%）

自用地としての価額　　100,000 千円

問1　被相続人が宅地を賃貸している場合

問2　被相続人が宅地を賃借している場合

└──────────────────────────────────

（解　答）

問1　貸宅地　100,000千円×（1－0.6）＝40,000千円

問2　借地権　100,000千円×0.6＝60,000千円

4 借家権[01]の評価（評通94）

【基本算式】

自用家屋としての価額×借家権割合[注]

（注）　一律30%となっています。

*01) 借家権とは、賃貸借契約による借家人の権利です。なお、借家権が権利金等の名称をもって取引される慣行のない地域の場合には評価しません。例えば、賃貸マンションを借りるときに家賃のみを支払う地域です。

5 貸家[01]の評価（評通93）

【基本算式】[02]

自用家屋としての価額×（1－借家権割合）

*01) 貸家とは、賃貸借契約により他人に貸している家屋です。

*02) 自用家屋としての価額から借家権相当額を差し引いた価額が貸家の評価となります。

6 貸家建付地[01]の評価（評通26）

【基本算式】[02]

自用地としての価額×（1－借地権割合×借家権割合）

*01) 建付地とは家屋が建てられている土地のことで、貸家建付地とは貸家が建てられている土地のことです。

*02) 土地の所有者側からすると、貸家の敷地は自用地よりも使用制限を受けているため、宅地全体の価額から敷地の上地部分（借地部分）に及んでいる借家権相当額を差し引いた価額により評価します。

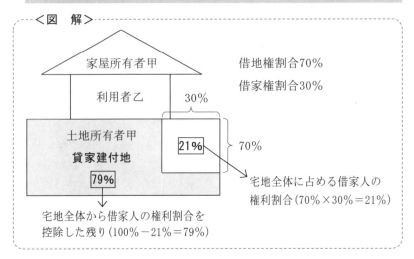

＜図解＞

家屋所有者甲

借地権割合70%
借家権割合30%

利用者乙　　30%

土地所有者甲
貸家建付地
79%

21%　　70%

宅地全体に占める借家人の
権利割合（70%×30%＝21%）

宅地全体から借家人の権利割合を
控除した残り（100%－21%＝79%）

＜例題＞

次の財産の評価額を求めなさい。（借地権割合60%、借家権割合30%）

⑴　宅　地　　自用地としての価額　　100,000千円

⑵　家　屋　　固定資産税評価額　　30,000千円

　　　この家屋は、⑴の宅地の上に建てられているものであり、被相続人甲が賃貸借契約により第三者に貸し付けていた。

（解答）

宅　地（貸家建付地）100,000千円×（1－0.6×0.3）＝82,000千円

家　屋（貸　　家）30,000千円×1.0×（1－0.3）＝21,000千円

7 貸家建付借地権[*01]の評価（評通28）

*01) 貸家を建てる目的で借地権を設定した場合、又は借地権の設定後、建物を貸家としている場合の評価が貸家建付借地権です。

【基本算式】
　自用地としての価額×借地権割合×（1－借家権割合）

＜図　解＞

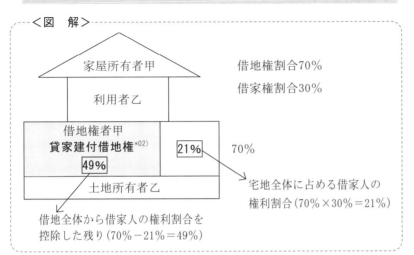

家屋所有者甲

利用者乙

借地権者甲
貸家建付借地権[*02]
49%

土地所有者乙

借地権割合70%
借家権割合30%

21%　70%

宅地全体に占める借家人の
権利割合（70%×30%＝21%）

借地全体から借家人の権利割合を
控除した残り（70%－21%＝49%）

*02) 借地権者側からすると、自用借地と比べ使用制約を受けているため、自用借地としての価額から借家人の権利相当額を控除してその評価額とします。

＜例　題＞

　次の財産の評価を行いなさい。

（借地権割合60%　借家権割合30%）

⑴　借地権　　　自用地としての価額　　100,000千円

　　この借地権は、被相続人甲が賃貸借契約により借受けているものである。

⑵　家　屋　　　固定資産税評価額　　　30,000千円

　　この家屋は、⑴の借地の上に建てられているものであり、被相続人甲が賃貸借契約により第三者に貸し付けていた。

（解　答）

⑴　貸家建付借地権　100,000千円×0.6×（1－0.3）＝42,000千円

⑵　貸　　　家　　　30,000千円×1.0×（1－0.3）＝21,000千円

8 転借権及び転貸借地権の評価（参 考）

1. 転借権[*01]の評価（評通30）

【基本算式】

自用地としての価額×借地権割合×借地権割合

*01) 転借権とは借地権者から借地権を設定してもらう場合の権利です。いわば借地の又借りです。

2. 転貸借地権[*02]の評価（評通29）

【基本算式】

自用地としての価額×借地権割合×（1−借地権割合）

*02) 転貸借地権とは借地権者が第三者に借地権を設定して貸すことです。いわば借地の又貸しです。

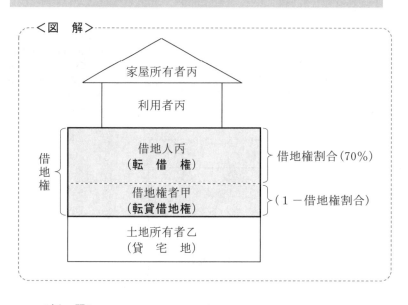

＜図 解＞

家屋所有者丙

利用者丙

借地権｛

借地人丙
（転 借 権）　　　　借地権割合（70%）

借地権者甲
（転貸借地権）　　　　（1−借地権割合）

土地所有者乙
（貸 宅 地）

＜例 題＞

次の財産の評価を行いなさい。（借地権割合60%）

借地権　　　自用地としての価額　　　100,000千円

問1　被相続人が借地権を賃貸している場合

問2　被相続人が借地権を賃借している場合

（解 答）

問1　転貸借地権　100,000千円×0.6×（1−0.6）＝24,000千円

問2　転 借 権　100,000千円×0.6×0.6＝36,000千円

9 使用貸借契約1

1. 概　要

　民法第593条では「使用貸借^{*01)}(しょうたいしゃく)とは当事者の一方がある物を引き渡すことを約し、相手がその受取った物について無償で使用及び収益をして契約が終了したときに返還することを約することによって、その効力を生ずる」と規定しています。

　相続税法上、明文規定はありませんが民法上の定義と同一であり、使用貸借契約とは個人間における目的物の貸借に際して使用の対価の授受がなく無償である契約のことをいいます。^{*02)}

　なお、土地等の公租公課(固定資産税など)に相当する金額以下の授受があるにすぎないものは、使用貸借として取扱います。

2. 土地の使用貸借の場合

(1) 借主(家屋所有者)の取扱い

　建物の所有を目的として使用貸借による土地の借り受けがあった場合は、その土地の使用貸借に係る使用権の価額は0(ゼロ)として取扱います。^{*03)}

(2) 貸主(宅地所有者)の取扱い

　使用貸借に係る宅地の価額は、その土地が自用のものであるとした場合の価額で評価します。

> 【基本算式】
> 　自用地としての価額

＜土地の使用貸借契約の取り扱い＞

① 借地権設定時^{*04)}
　借地人は権利金不要です。

② 借地権設定後^{*04)}
　借地人は通常の地代も不要です。

③ 借地権解消時^{*05)}
　土地所有者が借地人に支払うべき立退料も不要です。

---

*01) 使用貸借は、無償で土地や家屋を貸すという契約ですので、一般的に親族間での貸借が多いです。

*02) 使用貸借契約に該当する場合の表現は以下のとおりです。
　①使用貸借契約により〜
　②地代・家賃等の支払いは行われていない
　③公租公課金額以下による貸付け

*03) 権利金等を一切払っていませんので、借地権としての財産性はないことから評価はしません。

*04) 借地人から土地所有者への権利金及び地代等の支払いはなく、無償で借り受けるのが使用貸借契約です。

*05) 使用貸借契約では、借地権の財産価値は0と考えるため、立退料もなく、土地所有者に返還されます。

Ch 1
Ch 2
Ch 3
Ch 4
Ch 5
Ch 6
Ch 7
Ch 8
Ch 9
Ch 10

土地及び土地の上に存する権利の評価明細書（第1表）

		局(所)	署	年分	ページ

（令和六年分以降用）

（住居表示）	（ ）		所有者	住 所（所在地）		使用者	住 所（所在地）	
所在地番				氏 名（法人名）			氏 名（法人名）	

地 目		地 積	路 線 価				地形図及び参考事項
宅地 山林田 雑種地（ ）		㎡	正 面 円	側 方 円	側 方 円	裏 面 円	

間口距離	m	利用区分	自用地 私 道 貸宅地 貸家建付借地権 貸家建付地 転貸借地権 借地権（ ）	地区区分	ビル街地区 普通住宅地区 高度商業地区 中小工場地区 繁華街地区 大工場地区 普通商業・併用住宅地区	地形図及び参考事項
奥行距離	m					

自 用 地 1 平 方 メ ー ト ル 当 た り の 価 額	1 一路線に面する宅地 　（正面路線価）　　　　　　　（奥行価格補正率） 　　　　　円　×　　　　　．	（1㎡当たりの価額）　　円	A
	2 二路線に面する宅地 　（A）　　　　［側方・裏面 路線価］（奥行価格補正率）［側方・二方 路線影響加算率］ 　　　　　円　＋　（　　　　　円　×　　．　　×　0.　　　）	（1㎡当たりの価額）　　円	B
	3 三路線に面する宅地 　（B）　　　　［側方・裏面 路線価］（奥行価格補正率）［側方・二方 路線影響加算率］ 　　　　　円　＋　（　　　　　円　×　　．　　×　0.　　　）	（1㎡当たりの価額）　　円	C
	4 四路線に面する宅地 　（C）　　　　［側方・裏面 路線価］（奥行価格補正率）［側方・二方 路線影響加算率］ 　　　　　円　＋　（　　　　　円　×　　．　　×　0.　　　）	（1㎡当たりの価額）　　円	D
	5-1 間口が狭小な宅地等 　（AからDまでのうち該当するもの）（間口狭小補正率）（奥行長大補正率） 　　　　　円　×　　　（　．　　×　　．　　）	（1㎡当たりの価額）　　円	E
	5-2 不 整 形 地 　（AからDまでのうち該当するもの）　不整形地補正率※ 　　　　　円　×　　0. 　※不整形地補正率の計算 　（想定整形地の間口距離）（想定整形地の奥行距離）（想定整形地の地積） 　　　　　m　×　　　　　m　＝　　　　　㎡ 　（想定整形地の地積）（不整形地の地積）（想定整形地の地積）（かげ地割合） 　（　　　　㎡　－　　　　　㎡）÷　　　　　㎡　＝　　　　％ 　（不整形地補正率表の補正率）（間口狭小補正率）（小数点以下2位未満切捨て） 　　0.　　　　×　　．　　　＝　0.　　　　①　　｛不整形地補正率（①、②のいずれか低い率、0.6を下限とする。） 　（奥行長大補正率）（間口狭小補正率） 　　．　　×　　．　　＝　0.　　　②　　0.	（1㎡当たりの価額）　　円	F
	6 地積規模の大きな宅地 　（AからFまでのうち該当するもの）　規模格差補正率※ 　　　　　円　×　　0. 　※規模格差補正率の計算 　（地積（Ⓐ））（Ⓑ）（Ⓒ）（地積（Ⓐ））（小数点以下2位未満切捨て） 　｛（　　㎡　×　　　　＋　　　　）÷　　　㎡｝×　0.8　＝　0.	（1㎡当たりの価額）　　円	G
	7 無 道 路 地 　（F又はGのうち該当するもの）　　　　　（※） 　　　　　円　×　（　1　－　0.　　　） 　※割合の計算（0.4を上限とする。） 　（正面路線価）（通路部分の地積）（F又はGのうち該当するもの）（評価対象地の地積） 　　　　　円　×　　　㎡）÷（　　　　円　×　　　　㎡）＝　0.	（1㎡当たりの価額）　　円	H
	8-1 がけ地等を有する宅地　〔 南 、 東 、 西 、 北 〕 　（AからHまでのうち該当するもの）　（がけ地補正率） 　　　　　円　×　　0.	（1㎡当たりの価額）　　円	I
	8-2 土砂災害特別警戒区域内にある宅地 　（AからHまでのうち該当するもの）　特別警戒区域補正率※ 　　　　　円　×　　0. 　※がけ地補正率の適用がある場合の特別警戒区域補正率の計算（0.5を下限とする。） 　〔 南 、 東 、 西 、 北 〕 　（特別警戒区域補正率表の補正率）（がけ地補正率）（小数点以下2位未満切捨て） 　　0.　　　×　　0.　　　＝　0.	（1㎡当たりの価額）　　円	J
	9 容積率の異なる2以上の地域にわたる宅地 　（AからJまでのうち該当するもの）　（控除割合（小数点以下3位未満四捨五入）） 　　　　　円　×　（　1　－　0.　　　）	（1㎡当たりの価額）　　円	K
	10 私 道 　（AからKまでのうち該当するもの） 　　　　　円　×　0.3	（1㎡当たりの価額）　　円	L

自用地の評価額	自用地1平方メートル当たりの価額 （AからLまでのうちの該当記号） （　　）　　　　　　　円	地　積 　　　　　㎡	総　　額 （自用地1㎡当たりの価額）×（地　積） 　　　　　円	M

（注）1 5-1の「間口が狭小な宅地等」と5-2の「不整形地」は重複して適用できません。
　　　2 5-2の「不整形地」の「AからDまでのうち該当するもの」欄の価額について、AからDまでの欄で計算できない場合には、（第2表）の「備考」欄等で計算してください。
　　　3 「がけ地等を有する宅地」であり、かつ、「土砂災害特別警戒区域内にある宅地」である場合については、8-1の「がけ地等を有する宅地」欄ではなく、8-2の「土砂災害特別警戒区域内にある宅地」欄で計算してください。

（資4-25-1-A4統一）

土地及び土地の上に存する権利の評価明細書（第2表）

セットバックを必要とする宅地の評価額	（自用地の評価額）　　　（自用地の評価額）　　　　　　（該当地積） 円 － （　　　円 × $\dfrac{\text{㎡}}{（総地積）\text{㎡}}$ × 0.7　）	（自用地の評価額） 円	N
都市計画道路予定地の区域内にある宅地の評価額	（自用地の評価額）　　　　（補正率） 円 × 0.	（自用地の評価額） 円	O
大規模工場用地等の評価額	○ 大規模工場用地等 　（正面路線価）　　（地積）　　　（地積が20万㎡以上の場合は0.95） 　円 × （　地積　）㎡ ×	円	P
	○ ゴルフ場用地等 　（宅地とした場合の価額）（地積）　（$1\,\text{㎡}$当たりの造成費）　　　　（地積） 　（　円 × ㎡×0.6）－（　円× ㎡）	円	Q
区分所有財産に係る敷地利用権の評価額	（自用地の評価額）　　（敷地利用権（敷地権）の割合） 円 × ――――――――	（自用地の評価額） 円	R
区分所有財産に係る 居住用の区分所有財産の場合	（自用地の評価額）　　　　（区分所有補正率） 円 × .	（自用地の評価額） 円	S

	利用区分	算 式	総 額	記号
総額計算による価額	貸宅地	（自用地の評価額）　　　（借地権割合） 円 × (1－ 0.)	円	T
	貸家建付地	（自用地の評価額又はV）　（借地権割合）（借家権割合）（賃貸割合） 円 × (1－ 0. ×0. × $\dfrac{\text{㎡}}{\text{㎡}}$)	円	U
	目的となっている権利（ 　 ）ている土地	（自用地の評価額）　　　（　　割合　　） 円 × (1－ 0.)	円	V
	借地権	（自用地の評価額）　　　（借地権割合） 円 × 0.	円	W
	貸家建付借地権	（W, ADのうちの該当記号）　（借家権割合）（賃貸割合） （　） 円 × (1－ 0. × $\dfrac{\text{㎡}}{\text{㎡}}$)	円	X
	転貸借地権	（W, ADのうちの該当記号）　（借地権割合） （　） 円 × (1－ 0.)	円	Y
	転借権	（W, X, ADのうちの該当記号）　（借地権割合） （　） 円 × 0.	円	Z
	借家人の有する権利	（W, Z, ADのうちの該当記号）　（借家権割合）（賃借割合） （　） 円 × 0. × $\dfrac{\text{㎡}}{\text{㎡}}$	円	AA
	（　　　）権	（自用地の評価額）　　　（　　割合　　） 円 × 0.	円	AB
	権利が競合する場合の他の権利と競合する場合	（T, Vのうちの該当記号）　（　　割合　　） （　） 円 × (1－ 0.)	円	AC
		（W, ABのうちの該当記号）　（　　割合　　） （　） 円 × (1－ 0.)	円	AD
備考				

（注）　区分地上権と区分地上権に準ずる地役権とが競合する場合については、備考欄等で計算してください。

（資4-25-2-A4統一）

Chapter 7 | 不動産の評価 I | 7-17　（121）

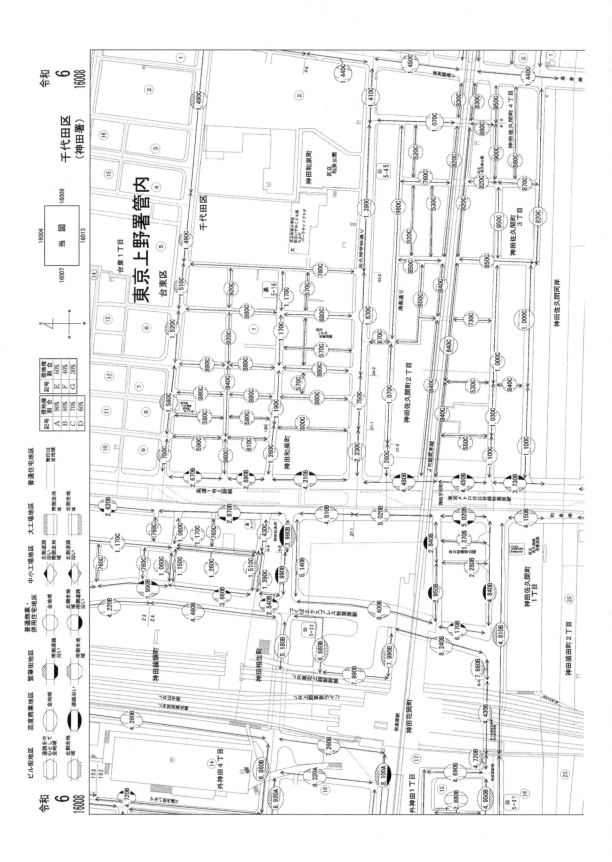

Chapter 8

小規模宅地等の特例Ⅰ

特例対象宅地等の要件 1

事業用や居住用の宅地等を取得した場合には、一定の減額措置が設けられています。
このSectionでは、その小規模宅地等の特例対象宅地等の要件を中心に学習します。

1 概 要

　被相続人等*01)の事業の用又は居住の用に供されていた宅地等の
うち一定部分については相続人等の生活基盤維持のため欠くことの
できないものであり、その処分についても相当の制約を受けるため、
小規模宅地等の特例により減額措置が設けられています。*02)

　個人が相続又は遺贈により取得した財産のうちに、その相続の開始
の直前において一定の要件を満たす事業用又は居住用宅地等がある
場合には、課税価格に算入すべき価額は、次の区分に応じてそれぞれ
の割合を乗じて計算した金額とします。

(1) $\frac{20}{100}$ を乗ずる宅地等

① 特定事業用宅地等である小規模宅地等*03)

② 特定居住用宅地等である小規模宅地等

③ 特定同族会社事業用宅地等である小規模宅地等

(2) $\frac{50}{100}$ を乗ずる宅地等

貸付事業用宅地等である小規模宅地等

*01) 被相続人等とは、被相続人
又はその被相続人と生計を
一にしていたその被相続人
の親族をいいます。

*02) 事業用宅地や居住用宅地は
相続後も処分することなく
使い続けることが想定され
ますが、その価額について
取引を前提とする時価評価
を用いると納税者に過大な
税負担を強いることとなる
ため、一定割合の減額措置
により調整をしています。

*03) たとえば、1億円の宅地が
特定事業用宅地等に該当す
れば、課税価格に算入する
価額は2千万円です。

2 適用要件

1. 適用対象資産 (措法69の4①)

　個人が相続又は遺贈により取得した財産(注)1のうちに、その相続
の開始の直前*01)において、被相続人等の事業の用(注)2又は居住の用に
供されていた宅地等 (土地又は土地の上に存する権利(注)3を含む。)
で建物、構築物の敷地の用に供されているもの(特定事業用宅地等、
特定居住用宅地等、特定同族会社事業用宅地等及び貸付事業用宅地等
に限る*02)。)

(注)1 贈与(相続時精算課税贈与を含み、死因贈与を除きます。)に
より取得した財産には適用はありません。

　　2 事業と称するに至らない不動産貸付け*03)その他これに類する
行為で相当の対価を得て継続的に行うもの (「準事業」といいま
す。) も含みます。

　　3 「土地の上に存する権利」は、借地権や配偶者居住権の設定に
係る敷地利用権*04)が該当します。

*01) 相続開始直前における宅地
等の利用状況に応じて適用
の判定を行います。

*02) 相続税の申告期限までに、
一定の要件を満たした場合
の宅地等に限り、適用を受
けることができます。

*03) 例えば、小規模のアパート
経営や数台の駐車場でも
適正な賃料により継続して
行われていれば適用対象の
事業に該当します。

*04) 敷地利用権の詳細について
は、応用編教科書のChapter4
で学習します。

Ch 1
Ch 2
Ch 3
Ch 4
Ch 5
Ch 6
Ch 7
Ch 8
Ch 9
Ch 10

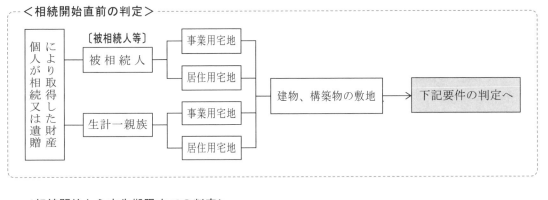

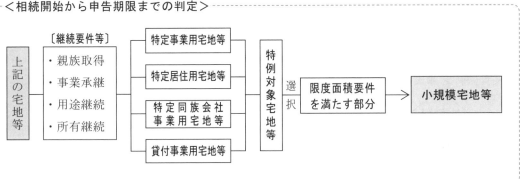

┌─「生計一親族」(所得税法基本通達)──────────────────

⑴　勤務、修学、療養等の都合上他の親族と日常の起居を共にして
いない親族がいる場合であっても、次に掲げる場合に該当すると
きは、これらの親族は生計を一にするものとする。*05)

①　当該他の親族と日常の起居を共にしていない親族が、勤務、
修学等の余暇には当該他の親族のもとで起居を共にすること
を常例としている場合

②　これらの親族間において、常に生活費、学資金、療養費等の
送金が行われている場合

⑵　親族が同一の家屋に起居している場合には、明らかに互いに独
立した生活を営んでいると認められる場合を除き、これらの親族
は生計を一にするものとする。*06)

*05) 例えば、勤務の都合でアパートを借りていても、週末には自宅に戻ってくるような場合や、大学生の息子に毎月仕送りをしている場合などです。

*06) 被相続人と同居していれば特に指示がない限り、生計一親族と判断します。

2.　申告要件（措法69の4⑦⑧）

　　この規定の適用を受ける場合には、相続税の申告書にこの規定の
適用を受ける旨を記載し、かつ、所定の書類の提出が必要です。*07)

　　なお、申告書の提出がなかった場合又は記載若しくは添付のない
申告書の提出があった場合においても、税務署長がやむを得ない事
情があると認めた場合には適用があります。

*07) 小規模宅地等の特例を受けることによって納付すべき税額がなくなった場合でも、相続税の申告書を提出する必要があります。

3 特例対象宅地等

1. 特定事業用宅地等（措法69の4③一）

被相続人等[01]の事業の用に供されていた宅地等で、次の要件を満たす被相続人の親族が取得した場合のその宅地等（相続開始前3年以内に新たに事業の用に供された宅地等を除く。）[02]をいいます。

なお、この場合の事業には、不動産貸付業、駐車場業、駐輪場業及び準事業（以下「不動産貸付業等[03]」といいます。）は含まれません。

*01) ☞8-2ページの側注*01）と同じです。

*02) 令和元年度税制改正により相続開始前3年以内に新たに事業の用に供された宅地等が除外されました。詳細は応用編教科書のChapter5で学習します。

*03) 80％減額が適用される特定事業用宅地等からは不労所得は除くという考えです。

(1) 被相続人の事業用宅地等

被相続人の事業用宅地等を**事業承継する親族**が取得した場合

→ 80％減額

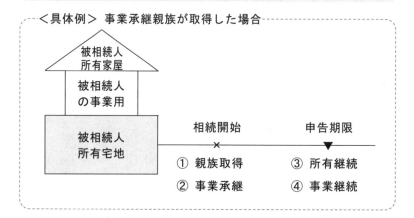

＜具体例＞ 事業承継親族が取得した場合

(2) 被相続人と生計を一にする親族の事業用宅地等

生計を一にする親族の事業用宅地等を**事業主である親族**[04]が取得した場合 → 80％減額

*04) 事業主として事業を行っていた親族が取得した場合のみ80％減額です。したがって、被相続人と生計を一にしていた親族であっても、事業主でない者が取得した場合には、減額なしです。

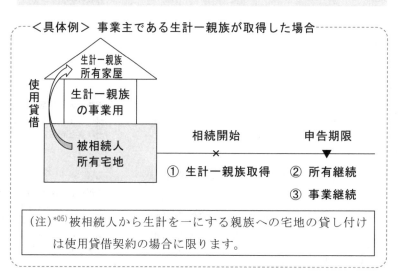

＜具体例＞ 事業主である生計一親族が取得した場合

(注)[05] 被相続人から生計を一にする親族への宅地の貸し付けは使用貸借契約の場合に限ります。

*05) 被相続人から生計一親族への宅地の貸付が賃貸借契約の場合には、貸宅地となり被相続人の不動産貸付業に該当することとなります。

2. 特定居住用宅地等（措法69の4③ニ）

被相続人等が居住の用[*06]に供していた宅地等で、次の要件を満たす被相続人の**親族**が取得した場合のその宅地等をいいます。

(1) 被相続人等の居住用宅地等

被相続人の**配偶者**が居住用宅地等を取得した場合[*07]

→ 80%減額

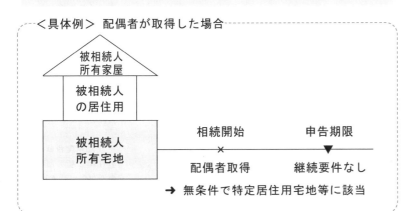

<具体例> 配偶者が取得した場合

→ 無条件で特定居住用宅地等に該当

(2) 被相続人の居住用宅地等

① 被相続人と**同居する親族**[*08]が居住用宅地等を取得した場合

→ 80%減額

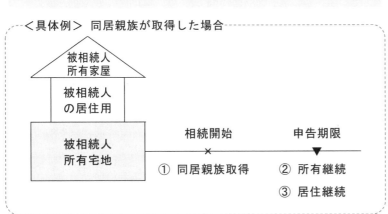

<具体例> 同居親族が取得した場合

*06) 被相続人が老人ホーム等に入居していた場合については応用編教科書のChapter5で学習します。

*07) 被相続人の配偶者が居住用宅地等を取得した場合には被相続人の居住用宅地等及び生計一親族の居住用宅地等のいずれも無条件で80%減額の適用となります。
仮に宅地を取得した配偶者が申告期限までにその宅地を譲渡・贈与・貸付をしている場合や申告期限において空き家の状態であっても80%減額となります。

*08) たとえば、二世帯住宅でも一定の条件のもと同居親族として取り扱うことが可能です。詳細は応用編教科書のChapter5で学習します。

② 配偶者及び法定相続人である同居親族がいない場合[09]で、持家のない**別居親族**が取得したとき → 80%減額

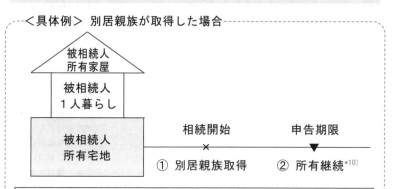

─＜具体例＞ 別居親族が取得した場合──────────

（注） 持家のない別居親族[11]とは、相続開始前３年以内に別居親族本人やその配偶者のほか、その別居親族の三親等内親族、特別関係法人が所有する国内にある家屋に居住したことがない者のことをいいます。

⑶ 被相続人と生計を一にする親族の居住用宅地等

生計を一にする親族の居住用宅地等を**居住者である親族**[12]が取得した場合 → 80%減額

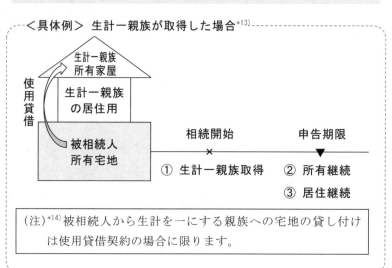

─＜具体例＞ 生計一親族が取得した場合[13]──────

（注）[14] 被相続人から生計を一にする親族への宅地の貸し付けは使用貸借契約の場合に限ります。

*09) 被相続人は配偶者と死別し一人暮らしであった場合が典型的な例です。被相続人は東京、長男夫婦は千葉に居住していたが、被相続人の介護のため長男の嫁が被相続人と同居していた場合や元々被相続人と長男夫婦が同居していたが、長男が単身赴任中で大阪に仮住まいしていた場合などです。

*10) 申告期限における居住継続要件はありません。別居が前提ですので、宅地の所有継続要件のみとなります。

*11) 平成30年度税制改正により居住用家屋の所有者の対象範囲が広がりました。詳細は応用編教科書のChapter5で学習します。

*12) 被相続人の父母が被相続人の扶養親族となっているのが典型的なパターンです。

*13) たとえば、被相続人から仕送りを受けていた老夫婦が居住している家屋の敷地が該当します。この場合、その老夫婦のいずれかがこの宅地を取得して、継続要件を満たすことができれば、80%減額となります。

*14) 被相続人から生計一親族への宅地の貸付が賃貸借契約の場合には、貸宅地となり被相続人の不動産貸付業に該当することとなります。

3．特定同族会社事業用宅地等（措法69の4③三）

被相続人等の事業用宅地等のうち、相続開始直前に被相続人及びその被相続人の親族その他その被相続人と特別の関係がある者[*15]が有する株式の総数又は出資の総額がその株式又は出資に係る法人の発行済株式総数又は出資の総額の**10分の5を超える**法人の事業（**不動産貸付業等を除く。**[*16]）の用に供されていた宅地等で、その法人の**役員**[*17]である被相続人の親族が取得した場合 **➡ 80%減額**

<**具体例**>

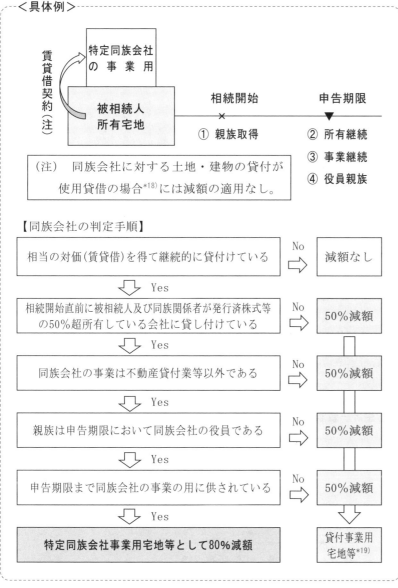

（注）　同族会社に対する土地・建物の貸付が使用貸借の場合[*18]には減額の適用なし。

【同族会社の判定手順】

相当の対価(賃貸借)を得て継続的に貸付けている	No ➡	減額なし
↓ Yes		
相続開始直前に被相続人及び同族関係者が発行済株式等の50%超所有している会社に貸し付けている	No ➡	50%減額
↓ Yes		
同族会社の事業は不動産貸付業等以外である	No ➡	50%減額
↓ Yes		
親族は申告期限において同族会社の役員である	No ➡	50%減額
↓ Yes		
申告期限まで同族会社の事業の用に供されている	No ➡	50%減額
↓ Yes		
特定同族会社事業用宅地等として80%減額		貸付事業用宅地等[*19]

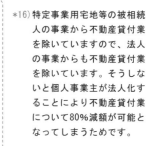

*15) 特別の関係がある者とは次の者をいいます。
・被相続人と事実上婚姻関係と同様の事情にある者
・被相続人の使用人
・被相続人から受けた金銭等で生計を維持している者
・上記の者と生計を一にするこれらの者の親族

*16) 特定事業用宅地等の被相続人の事業から不動産貸付業を除いていますので、法人の事業からも不動産貸付業を除いています。そうしないと個人事業主が法人化することにより不動産貸付業について80%減額が可能となってしまうためです。

*17) 法人税法に規定する役員（取締役、執行役、会計参与、監査役、理事、監事など）です。また役員は相続開始時に役員である必要はなく、申告期限までに役員であれば要件を満たします。

*18) 使用貸借の場合は「借り手」が利用者となるため、同族会社の事業用宅地に該当します。そうなると特例対象宅地等に該当するための要件である被相続人又は生計一親族の事業用宅地という要件を満たさないことになることから、使用貸借では減額なしとなります。

*19) 特定同族会社事業用宅地等に該当しない場合であっても、相当の対価を得て継続的に土地・建物を同族会社に貸付けており、貸付事業用宅地等の要件を満たせば50%減額となります。

4. 貸付事業用宅地等 （措法69の4③四）

被相続人等の事業（不動産貸付業その他一定のもの[20]に限る。）の用に供していた宅地等で、次の要件を満たす被相続人の**親族**が相続又は遺贈により取得した場合のその宅地等（特定同族会社事業用宅地等に該当するもの及び相続開始前3年以内に新たに貸付事業の用に供された宅地等[21]を除く。）をいいます。

[20] 「その他一定のもの」とは、駐車場業、自転車駐車場業及び準事業です。

[21] 平成30年度税制改正により相続開始前3年以内に新たに貸付事業の用に供された宅地等が除外されました。詳細については応用編教科書のChapter5で学習します。

(1) 被相続人の貸付事業用宅地等

被相続人の貸付事業用宅地等を**事業承継する親族**が取得した場合
→ 50%減額

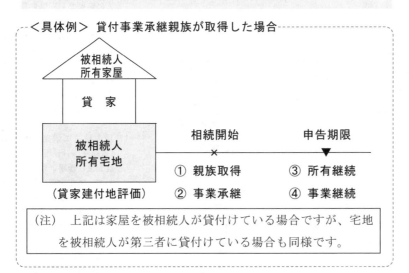

＜具体例＞ 貸付事業承継親族が取得した場合

（注） 上記は家屋を被相続人が貸付けている場合ですが、宅地を被相続人が第三者に貸付けている場合も同様です。

(2) 被相続人と生計を一にする親族の貸付事業用宅地等

生計を一にする親族の貸付事業用宅地等を**事業主である親族**が取得した場合 → 50%減額

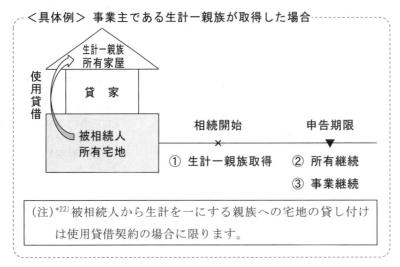

＜具体例＞ 事業主である生計一親族が取得した場合

（注）[22] 被相続人から生計を一にする親族への宅地の貸し付けは使用貸借契約の場合に限ります。

[22] 被相続人から生計一親族への宅地の貸付が賃貸借契約の場合には、貸宅地となり被相続人の不動産貸付業に該当することとなります。

　次の各設問において、特例対象宅地等に該当するか否かを判定しなさい。なお、宅地の取得者は継続所有要件を満たし、相続開始前3以内に開始した事業(貸付事業を含む。)はないものとする。

（設問1）

問1　配偶者乙が取得した宅地

　　この宅地は被相続人甲の営む事業(製造業)の用に供されていたものである。なお、被相続人甲の事業は配偶者乙が承継している。

問2　子Aが取得した宅地

　　この宅地は被相続人甲と生計を一にする子Aの事業(小売業)の用に供されていたものであるが、被相続人甲への地代等の支払いは行われていなかった。

問3　子Bが取得した宅地

　　この宅地は被相続人甲の営む事業(飲食業)の用に供されていたものである。なお、被相続人甲の事業は配偶者乙が承継している。

（設問2）

問1　配偶者乙が取得した宅地

　　この宅地は被相続人甲、配偶者乙及び子Cの居住の用に供されていたものである。

問2　問1の宅地を子Cが取得した場合

問3　配偶者乙が取得した宅地

　　この宅地は、被相続人甲の母の居住の用に供されていたものであるが、被相続人甲への地代等の支払いは行われていなかった。なお、母は被相続人甲より毎月生活費の仕送りを受けていた。

問4　問3の宅地を母が取得した場合

（設問3）

問1　子Dが取得した宅地

　　この宅地は、相続開始の直前において被相続人甲及び甲の親族が発行済株式数の80%を保有するX会社(卸売業)に賃貸借契約により貸付けられていたものである。なお、子DはX社の役員である。

問2　問1の宅地を子Eが取得した場合で、子EはX社の役員ではない。

問3　子Fが取得した宅地

　　この宅地は、相続開始の直前において被相続人甲及び甲の親族が発行済株式数の50%を保有するY会社(製造業)に賃貸借契約により貸付けられていたものである。なお、子FはY社の役員である。

問4　子Gが取得した宅地

　　この宅地は、相続開始の直前において被相続人甲及び甲の親族が発行済株式数の100%を保有するZ会社(小売業)に使用貸借契約により貸付けられていたものである。なお、子GはZ社の役員である。

（設問4）

問1　配偶者乙が取得した宅地

　　この宅地は、被相続人甲の営む駐車場(アスファルト舗装済み)の用に供されているものである。なお、被相続人甲の事業は配偶者乙が承継している。

問2　子Hが取得した宅地

　　この宅地は、被相続人甲と生計を一にする子H所有のアパートの敷地の用に供されているものである。なお、この敷地の貸借は使用貸借で、子Hは引き続き事業を継続している。

（設問1）

問1　被相続人甲の事業用宅地を事業承継者である配偶者乙が取得しているため、特定事業用宅地等に該当します。

問2　被相続人甲と生計を一にする子Aの事業用宅地を事業主である子Aが取得しているため、特定事業用宅地等に該当します。

問3　被相続人甲の事業用宅地を事業承継者ではない子Bが取得しているため、特定事業用宅地等に該当しません。

（設問2）

問1　被相続人甲の居住用宅地を配偶者乙が取得しているため、特定居住用宅地等に該当します。

問2　被相続人甲の居住用宅地を同居親族である子Cが取得しているため、特定居住用宅地等に該当します。

問3　被相続人甲と生計を一にする母の居住用宅地を被相続人の配偶者乙が取得しているため、特定居住用宅地等に該当します。

問4　被相続人甲と生計を一にする母の居住用宅地を居住者である母が取得しているため、特定居住用宅地等に該当します。

（設問3）

問1　被相続人甲と親族で発行済株式の50%を超える株式を有する特定同族会社に賃貸している宅地を役員である子Dが取得していることより特定同族会社事業用宅地等に該当します。

問2　子Eは役員でないため、特定同族会社事業用宅地等に該当しません。

問3　被相続人甲と親族で発行済株式の50%を超える株式を有していないため、特定同族会社事業用宅地等に該当しません。

　　　なお、問2及び問3において宅地取得者である子E・子Fが貸付事業を引き継ぎ、申告期限まで継続要件を満たしていれば、貸付事業用宅地等に該当します。

問4　Z社への宅地の貸借が使用貸借契約のため、特定同族会社事業用宅地等及び貸付事業用宅地等に該当しません。

（設問4）

問1　アスファルト舗装されている駐車場用地であり、事業承継者である配偶者乙が取得しているため、貸付事業用宅地等に該当します。

　　　なお、駐車場用地は自用地評価となります。

問2　被相続人甲と生計を一にする子Hの貸付事業用宅地を事業主である子Hが取得しているため、貸付事業用宅地等に該当します。

4 特例対象宅地等のまとめ

		用　途	取　得　者　の　要　件	そ　の　他　の　要　件
80％減額	特定居住用宅地等	被相続人の居住用	・被相続人の配偶者が宅地等を取得した場合	その他の要件なし
			・同居親族が宅地等を取得した場合	・申告期限まで宅地等を継続所有しかつ、居住を継続
			・別居親族が宅地等を取得した場合（相続開始前3年以内の持家がない場合等に限る）	・被相続人は一人暮らし又は法定相続人でない親族と同居 ・申告期限まで宅地等を継続所有
		生計一親族の居住用	・生計を一にしていた居住者である親族が宅地等を取得した場合	・申告期限まで宅地等を継続所有しかつ、居住を継続
			・被相続人の配偶者が宅地等を取得した場合	無条件（例外的優遇措置）
	特定事業用宅地等	被相続人の事業用	・被相続人の事業承継者である親族が宅地等を取得した場合	・事業は不動産貸付業以外 ・申告期限まで宅地等を継続所有しかつ、事業を継続
		生計一親族の事業用	・生計を一にしていた事業主である親族が宅地等を取得した場合	・事業は不動産貸付業以外 ・申告期限まで宅地等を継続所有しかつ、事業を継続
	特定事業用同族会社等	被相続人の貸付事業用 〔特定同族会社の事業用〕	・役員である親族が宅地等を取得した場合	・同族会社の事業が不動産貸付業以外 ・宅地等又は家屋の貸付けが使用貸借でない ・申告期限まで宅地等を継続所有しかつ、同族会社が事業を継続
50％減額	貸付事業用宅地等	被相続人の貸付事業用	・被相続人の貸付事業承継者である親族が宅地等を取得した場合	・申告期限まで宅地等を継続所有しかつ、貸付事業を継続
		生計一親族の貸付事業用	・生計を一にしていた事業主である親族が宅地等を取得した場合	・申告期限まで宅地等を継続所有しかつ、貸付事業を継続

(注)　宅地等の取得者が<u>被相続人の親族</u>であり、申告期限において宅地等の<u>所有を継続</u>し、かつ、その宅地等を<u>相続開始前と同一の用途</u>に供していることが要件のポイントです。

減額金額の計算 1

小規模宅地等の減額計算では限度面積と減額割合がポイントとなります。

このSectionでは、小規模宅地等の特例についての減額計算を中心に学習します。

1 減額計算の概要

>>問題集 問題2〜4

1．限度面積要件と減額割合（措法69の4①②）

(1) 選択特例対象宅地等が「特定事業用等宅地等」である場合*01)

選択面積の合計が400㎡以下

特定事業用等宅地等とは、次のものをいいます。

| ① 特定事業用宅地等 |
| ② 特定同族会社事業用宅地等 |

*01) 特定事業用宅地等400㎡と特定同族会社事業用宅地等400㎡がある場合に、双方の宅地を選択することはできず、合計で400㎡までです。

(2) 選択特例対象宅地等が「特定居住用宅地等」である場合*02)

選択面積の合計が330㎡以下

*02) 平成27年1月1日より特定居住用宅地等の限度面積が240㎡から330㎡に拡大されました。

(3) 選択特例対象宅地等が「貸付事業用宅地等」である場合

選択面積の合計が200㎡以下

(4) 限度面積と減額割合

対象となる小規模宅地等	限度面積	減額割合
特 定 事 業 用 等 宅 地 等	400㎡	80%
特 定 居 住 用 宅 地 等	330㎡	80%
貸 付 事 業 用 宅 地 等	200㎡	50%

2 減額計算の基本

小規模宅地等の特例に係る減額金額は、減額単価に特例対象宅地等の区分に応じた限度面積を乗じて計算します。

【基本算式】

(1) 特定事業用等宅地等及び特定居住用宅地等の場合

$\underline{1㎡当たりの価額×80\%}×限度面積$
（減額単価）

(2) 貸付事業用宅地等の場合

$\underline{1㎡当たりの価額×50\%}×限度面積$
（減額単価）

─＜例　題＞─

　次の(1)から(3)の宅地を小規模宅地等として選択した場合において、相続税の課税価格に算入すべき価額を求めなさい。

(1)　特定居住用宅地等　　400㎡　　評価額　　120,000千円

(2)　特定事業用宅地等　　500㎡　　評価額　　100,000千円

(3)　貸付事業用宅地等　　250㎡　　評価額　　 41,000千円

（解　答）*01)　　　　　　　　　　　　　　　　　　（単位：千円）

*01) 相続税の課税価格算入額の具体的な計算フォームは、その減額対象となる宅地等の評価額から小規模宅地等の減額金額を控除します。

(1)① 評価額

120,000

② 減額金額

$$\frac{120,000}{400㎡}(300/㎡)\times80\%\times{}^{※}330㎡=79,200$$

$$※ \quad 400㎡>330㎡ \quad \therefore \quad 330㎡$$

③ 課税価格算入額

①－②＝40,800

(2)① 評価額

100,000

② 減額金額

$$\frac{100,000}{500㎡}(200/㎡)\times80\%\times{}^{※}400㎡=64,000$$

$$※ \quad 500㎡>400㎡ \quad \therefore \quad 400㎡$$

③ 課税価格算入額

①－②＝36,000

(3)① 評価額

41,000

② 減額金額

$$\frac{41,000}{250㎡}(164/㎡)\times50\%\times{}^{※}200㎡=16,400$$

$$※ \quad 250㎡>200㎡ \quad \therefore \quad 200㎡$$

③ 課税価格算入額

①－②＝24,600

3 特例対象宅地等が2以上ある場合の選択方法

1. 同じ限度面積の特例対象宅地等を選択する場合

(1) 選択特例対象宅地等が「特定事業用等宅地等」のみである場合[*01]

*01) 特定事業用宅地等400㎡を選択する場合や特定事業用宅地等250㎡と特定同族会社事業用宅地等150㎡で合計400㎡を選択するような場合です。

―<例 題>―

　次の(1)から(3)の特例対象宅地等を選択する場合において、限度面積を満たす小規模宅地等の減額金額を求めなさい。なお、選択の方法は番号の順に従って選択するものとする。

(1) 特定同族会社事業用宅地等A　200㎡　評価額　　30,000千円

(2) 特定事業用宅地等B　　　　　100㎡　評価額　　12,000千円

(3) 特定事業用宅地等C　　　　　150㎡　評価額　　15,000千円

(解　答)　　　　　　　　　　　　　　　　　　　　(単位：千円)

　① 選　択

　　　Aから200㎡、Bから100㎡、Cから※100㎡を選択

　　　※　400㎡－200㎡－100㎡＝100㎡＜150㎡　∴　100㎡

　③ 減額計算

　　A　$\dfrac{30,000}{200㎡}(=150/㎡)\times80\%\times200㎡=24,000$

　　B　$\dfrac{12,000}{100㎡}(=120/㎡)\times80\%\times100㎡=9,600$

　　C　$\dfrac{15,000}{150㎡}(=100/㎡)\times80\%\times100㎡=8,000$

(2) 選択特例対象宅地等が「特定居住用宅地等」のみである場合[*02]

*02) 特定居住用宅地等が2以上ある場合においても、減額単価の高いものから330㎡に達するまで選択します。

(3) 選択特例対象宅地等が「貸付事業用宅地等」のみである場合[*03]

*03) 貸付事業用宅地等が2以上ある場合においても、減額単価の高いものから200㎡に達するまで選択します。

2．異なる限度面積の特例対象宅地等を選択する場合

(1) 貸付事業用宅地等を選択しない場合*04)

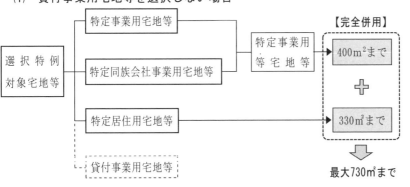

*04) 特定事業用等宅地等400㎡と特定居住用宅地等330㎡を選択する場合には、両方の最大限度面積を合計した選択が可能となります。これを「完全併用」と言います。

(2) 貸付事業用宅地等を選択する場合*05)

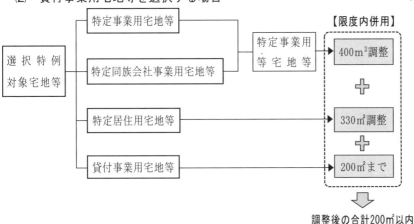

*05) 限度面積が異なることから特定事業用等宅地等400㎡、特定居住用宅地等330㎡を貸付事業用宅地等200㎡の面積ベースに調整し、それらの合計地積が200㎡以内となるよう有利選択を行います。これを「限度内併用」と言います。
なお、貸付事業用宅地等を選択したときは完全併用による減額計算はできません。

3．限度内併用を適用する場合における限度面積の調整計算

$$\text{特定事業用等宅地等の面積の合計} \times \frac{200}{400} + \text{特定居住用宅地等の面積の合計} \times \frac{200}{330} + \text{貸付事業用宅地等の面積の合計} \leqq 200㎡$$

4．限度面積に達するまでの地積計算

【基本算式】

$$\text{選択する特例対象宅地等の限度面積} - \text{既に選択した特例対象宅地等の地積} \times \frac{\text{選択する特例対象宅地等の限度面積}}{\text{既に選択した特例対象宅地等の限度面積}}$$

　　次の問について、小規模宅地等として選択できる各宅地の地積を求めなさい。なお、選択の方法
は番号の順に従って選択するものとする。

問1

　　(1)　特定事業用等宅地等　　　　　450㎡

　　(2)　特定居住用宅地等　　　　　　350㎡

問2

　　(1)　特定事業用宅地等　　　　　　300㎡

　　(2)　貸付事業用宅地等　　　　　　150㎡

問3

　　(1)　特定居住用宅地等　　　　　　264㎡

　　(2)　貸付事業用宅地等　　　　　　120㎡

問4

　　(1)　特定事業用等宅地等　　　　　120㎡

　　(2)　特定居住用宅地等　　　　　　165㎡

　　(3)　貸付事業用宅地等　　　　　　120㎡

解答

　　問1

　　　　(1)　特定事業用等宅地等　　400㎡（450㎡＞400㎡　∴　400㎡）

　　　　(2)　特定居住用宅地等　　　330㎡（350㎡＞330㎡　∴　330㎡）

　　問2

　　　　(1)　特定事業用宅地等　　　300㎡

　　　　(2)　貸付事業用宅地等　　　$200㎡－300㎡×\dfrac{200}{400}＝50㎡$

　　問3

　　　　(1)　特定居住用宅地等　　　264㎡

　　　　(2)　貸付事業用宅地等　　　$200㎡－264㎡×\dfrac{200}{330}＝40㎡$

　　問4

　　　　(1)　特定事業用等宅地等　　120㎡

　　　　(2)　特定居住用宅地等　　　$330㎡－120㎡×\dfrac{330}{400}＝231㎡＞165㎡　∴　165㎡$

　　　　(3)　貸付事業用宅地等　　　$200㎡－120㎡×\dfrac{200}{400}－165㎡×\dfrac{200}{330}＝40㎡$

解説

　　最初に選択した宅地の選択割合を求めてから、次に選択しようとする宅地の限度面積に残りの
割合を乗じて求めることもできます。

　　問2の場合には、特定事業用宅地等の選択割合が$\dfrac{300㎡}{400㎡}＝75\%$　→　$200㎡×（1－75\%）＝50㎡$

5．小規模宅地等の特例計算フォーム

【基本算式】

(1) 減額単価（調整計算）

　① 特定事業用等宅地等

$$\frac{評価額}{総地積}×80\%＝○○○\quad（○○○×\frac{400}{200}＝●●●）←大小比較^{*06}$$

　② 特定居住用宅地等

$$\frac{評価額}{総地積}×80\%＝△△△\quad（△△△×\frac{330}{200}＝▲▲▲）←大小比較$$

　③ 貸付事業用宅地等

$$\frac{評価額}{総地積}×50\%＝■■■←大小比較$$

　(注) 貸付事業用宅地等がない場合には、単価の調整計算は不要です。

(2) 有利選択[*07]

　　上記(1)の単価調整後の金額の大きいものから限度面積に達するまで順次選択します。

[*06] 特定事業用等宅地等と特定居住用宅地等については、限度面積の比により単価調整をした金額で大小比較を行います。

[*07] 試験では「小規模宅地等の課税価格の合計額が最も少なくなる方法を選択するものとして〜」という指示が与えられます。

<選択の考え方>

　特定事業用等宅地等と特定居住用宅地等との完全併用が可能であるため、多くの場合において特定事業用等宅地等400㎡までと特定居住用宅地等330㎡までの併用選択が有利となりえます。

　したがって、減額単価の大小比較により特定事業用等宅地等及び特定居住用宅地等の減額単価の方が、貸付事業用宅地等の減額単価よりも大きい場合には、完全併用有利と判断できます。[*08]

　ただし、完全併用の合計地積が次の算式により200㎡未満の場合には200㎡に達するまで貸付事業用宅地等からも減額することができます。

$$\frac{特定事業用等宅地等の面積の合計}{　}×\frac{200}{400}+\frac{特定居住用宅地等の面積の合計}{　}×\frac{200}{330}<200㎡$$

つまり、限度内併用が有利と判断できます。

　逆に、減額単価の大小比較により貸付事業用宅地等の減額単価の方が特定事業用等宅地等又は特定居住用宅地等の減額単価よりも大きい場合には、完全併用による減額総額と限度内併用による減額総額を比較していずれか大きい方が最終的に有利と判断できます。

　以上のことから、完全併用が明らかに有利と判断できる場合を除き、完全併用による減額総額と限度内併用による減額総額を比較していずれか大きい方を有利選択します。

[*08] 特定事業用等宅地等及び特定居住用宅地等の減額単価の方が、貸付事業用宅地等の減額単価よりも大きい場合で、かつ、完全併用の合計地積が左記の算式により200㎡以上の場合です。

次の各設問について、相続税の課税価格に算入される価額を求めなさい。なお、小規模宅地等の課税価格の合計額が最も少なくなる方法を選択するものとして計算すること。（借地権割合60%、借家権割合30%）

（設問1）

(1)	特定事業用宅地等	300㎡	自用地としての価額	60,000千円
(2)	貸付事業用宅地等（貸宅地）	200㎡	自用地としての価額	200,000千円

（設問2）

(1)	特定居住用宅地等	350㎡	自用地としての価額	70,000千円
(2)	貸付事業用宅地等（貸家建付地）	250㎡	自用地としての価額	100,000千円

（設問3）

(1)	特定事業用宅地等	450㎡	自用地としての価額	112,500千円
(2)	特定居住用宅地等	350㎡	自用地としての価額	70,000千円
(3)	貸付事業用宅地等（駐車場用地）	250㎡	自用地としての価額	125,000千円

（設問4）

(1)	特定事業用宅地等	120㎡	自用地としての価額	36,000千円
(2)	特定居住用宅地等	132㎡	自用地としての価額	46,200千円
(3)	貸付事業用宅地等（駐車場用地）	150㎡	自用地としての価額	75,000千円

解　答
（単位：千円）

（設問1）

(1)　$60,000 -^{(注)}160 \times 300㎡ = 12,000$

(2)　$200,000 \times (1 - 0.6) = 80,000$

　　　$80,000 -^{(注)}200 \times 50㎡ = 70,000$

(注)　小規模宅地等の特例

① 減額単価

㊙〔事〕　$\dfrac{60,000}{300㎡} \times 80\% = 160 \left(160 \times \dfrac{400}{200} = 320\right)$　→　1順位

㊙〔貸〕　$\dfrac{80,000}{200㎡} \times 50\% = 200$　　　　　　　→　2順位

② 有利選択

特定事業用宅地等300㎡、貸付事業用宅地等※50㎡を選択

※　$200㎡ - 300㎡ \times \dfrac{200}{400} = 50㎡$

（設問2）

(1)　$70,000 -^{(注)}160 \times 330㎡ = 17,200$

(2)　$100,000 \times (1 - 0.6 \times 0.3) = 82,000$

(注)　小規模宅地等の特例

① 減額単価

㊙〔居〕　$\dfrac{70,000}{350㎡} \times 80\% = 160 \left(160 \times \dfrac{330}{200} = 264\right)$　→　1順位

㊙〔貸〕　$\dfrac{82,000}{250㎡} \times 50\% = 164$　　　　　　　→　2順位

② 有利選択

特定居住用宅地等[※]330㎡を選択

※　350㎡＞330㎡　∴　330㎡

（設問3）

(1)　$112,500 -$ ^(注)$200 \times 400㎡ = 32,500$

(2)　$70,000 -$ ^(注)$160 \times 330㎡ = 17,200$

(3)　$125,000$

（注）　小規模宅地等の特例

①　減額単価

㊪　$\dfrac{112,500}{450㎡} \times 80\% = 200 \left(200 \times \dfrac{400}{200} = 400\right)$　→　1順位

㊆　$\dfrac{70,000}{350㎡} \times 80\% = 160 \left(160 \times \dfrac{330}{200} = 264\right)$　→　2順位

㊅　$\dfrac{125,000}{250㎡} \times 50\% = 250$　→　3順位

②　有利選択

特定事業用宅地等^{※1}400㎡、特定居住用宅地等^{※2}330㎡を選択（完全併用）

※1　450㎡＞400㎡　∴　400㎡

※2　350㎡＞330㎡　∴　330㎡

（設問4）

(1)　$36,000 -$ ^(注)$240 \times 120㎡ = 7,200$

(2)　$46,200 -$ ^(注)$280 \times 132㎡ = 9,240$

(3)　$75,000 -$ ^(注)$250 \times 60㎡ = 60,000$

（注）　小規模宅地等の特例

①　減額単価

㊪　$\dfrac{36,000}{120㎡} \times 80\% = 240 \left(240 \times \dfrac{400}{200} = 480\right)$　→　1順位

㊆　$\dfrac{46,200}{132㎡} \times 80\% = 280 \left(280 \times \dfrac{330}{200} = 462\right)$　→　2順位

㊅　$\dfrac{75,000}{150㎡} \times 50\% = 250$　→　3順位

②　有利選択

特定事業用宅地等120㎡、特定居住用宅地等^{※1}132㎡、貸付事業用宅地等^{※2}60㎡を選択

（限度内併用）

※1　$330㎡ - 120㎡ \times \dfrac{330}{400} = 231㎡ > 132㎡$　∴　132㎡

※2　$200㎡ - 120㎡ \times \dfrac{200}{400} - 132㎡ \times \dfrac{200}{330} = 60㎡ < 150㎡$　∴　60㎡

　　各相続人等が被相続人甲から相続又は遺贈により取得した宅地等（宅地の上に存する権利を含む。）及び家屋について、相続税の課税価格に算入される金額を求めなさい。

　　なお、宅地及び家屋はすべて借地権割合が50％、借家権割合が30％である地域に所在している。

(1)　配偶者乙が取得した財産

　　①　C宅地　132㎡　　自用地としての価額　　　16,500,000円

　　②　D家屋　200㎡　　固定資産税評価額　　　　12,500,000円

　　　　この家屋は、①の宅地の上に建てられているものであり、被相続人甲の居住の用に供されていた。

(2)　長男Aが取得した財産

　　①　E宅地　280㎡　　自用地としての価額　　　52,500,000円

　　②　F家屋　250㎡　　固定資産税評価額　　　　24,000,000円

　　　　この家屋は、①の宅地の上に建てられているものであり、平成25年4月から被相続人甲の営む物品販売業の店舗の用に供されていた。なお、被相続人甲の事業は相続税の申告期限までに長男Aが引き継いでいる。

(3)　二男Bが取得した財産

　　①　G宅地　200㎡　　自用地としての価額　　　72,000,000円

　　②　H家屋　120㎡　　固定資産税評価額　　　　18,000,000円

　　　　この家屋は、①の宅地の上に建てられているものであり、平成28年4月から被相続人甲が賃貸借契約により第三者に貸付けていた。なお、被相続人甲の貸付事業は相続税の申告期限までに二男Bが引き継いでいる。

解答 金額欄には減額前の金額を記入し、小規模宅地等の特例の計算欄で減額金額を計算します。

I　相続人及び受遺者の相続税の課税価格の計算

遺贈財産価額の計算			|（単位：円）
財産の種類	取得者	計　　算　　過　　程	金　　額
C　宅　地	配偶者乙		16,500,000
D　家　屋	配偶者乙	$12,500,000 \times 1.0 = 12,500,000$	12,500,000
E　宅　地	長男A		52,500,000
F　家　屋	長男A	$24,000,000 \times 1.0 = 24,000,000$	24,000,000
G　宅　地	二男B	$72,000,000 \times (1 - 0.5 \times 0.3) = 61,200,000$	61,200,000
H　家　屋	二男B	$18,000,000 \times 1.0 \times (1 - 0.3) = 12,600,000$	12,600,000

小規模宅地等の特例の計算	（単位：円）
計　　算　　過　　程	

(1)　減額単価

C宅地⑱（乙）　$\dfrac{16,500,000}{132\,㎡} \times 80\% = 100,000 \left(100,000 \times \dfrac{330}{200} = 165,000\right)$　→　2順位

E宅地⑲（A）　$\dfrac{52,500,000}{280\,㎡} \times 80\% = 150,000 \left(150,000 \times \dfrac{400}{200} = 300,000\right)$　→　1順位

G宅地⑳（B）　$\dfrac{61,200,000}{200\,㎡} \times 50\% = 153,000$　　　　　　　　　　　→　3順位

(2)　有利選択

$280\,㎡ \times \dfrac{200}{400} + 132\,㎡ \times \dfrac{200}{330} = 220\,㎡ \geqq 200\,㎡$　∴　**完全併用有利**

A取得の特定事業用宅地等から280㎡、乙取得の特定居住用宅地等から132㎡を選択

(3)　減額計算

E宅地　　$150,000 \times 280\,㎡ = 42,000,000$

C宅地　　$100,000 \times 132\,㎡ = 13,200,000$

特　例　適　用　対　象　財　産	取　得　者	減　額　金　額
E宅地	長男A	42,000,000
C宅地	配偶者乙	13,200,000

解説

　(2)における有利選択では、完全併用有利と判断した根拠算式を記述しています。この根拠算式については、記述できるとより良いと考えてください。

　ただし、各宅地取得者に係る特例対象宅地等の選択地積については「完全併用」又は「限度内併用」を併記するようにしましょう。

小規模宅地等についての課税価格の計算明細書

FD3549

被相続人	国税　太郎

この表は、小規模宅地等の特例（租税特別措置法第69条の4第1項）の適用を受ける場合に記入します。
　なお、被相続人から、相続、遺贈又は相続時精算課税に係る贈与により取得した財産のうちに、「特定計画山林の特例」の対象となり得る財産又は「個人の事業用資産についての相続税の納税猶予及び免除」の対象となり得る宅地等その他一定の財産がある場合には、第11・11の2表の付表2を、「特定事業用資産の特例」の対象となり得る財産がある場合には、第11・11の2表の付表2の2を作成します（第11・11の2表の付表2又は付表2の2を作成する場合には、この表の「1　特例の適用にあたっての同意」欄の記入を要しません。）。
　(注)　この表の1又は2の各欄に記入しきれない場合には、第11・11の2表の付表1（続）を使用します。

1　特例の適用にあたっての同意

　この欄は、小規模宅地等の特例の対象となり得る宅地等を取得した全ての人が次の内容に同意する場合に、その宅地等を取得した全ての人の氏名を記入します。
　　私（私たち）は、「2　小規模宅地等の明細」の①欄の取得者が、小規模宅地等の特例の適用を受けるものとして選択した宅地等又はその一部（2　小規模宅地等の明細の⑤欄で選択した宅地等）の全てが限度面積要件を満たすものであることを確認の上、その取得者が小規模宅地等の特例の適用を受けることに同意します。

氏名	国税　花子	国税　一郎	税務　幸子

(注)　小規模宅地等の特例の対象となり得る宅地等を取得した全ての人の同意がなければ、この特例の適用を受けることはできません。

2　小規模宅地等の明細

　この欄は、小規模宅地等の特例の対象となり得る宅地等を取得した人のうち、その特例の適用を受ける人が選択した小規模宅地等の明細等を記載し、相続税の課税価格に算入する価額を計算します。
　　「小規模宅地等の種類」欄は、選択した小規模宅地等の種類に応じて次の1〜4の番号を記入します。
　　小規模宅地等の種類：① 特定居住用宅地等、② 特定事業用宅地等、③ 特定同族会社事業用宅地等、④ 貸付事業用宅地等

選択した小規模宅地等

小規模宅地等の種類 1〜4の番号を記入します。	① 特例の適用を受ける取得者の氏名〔事業内容〕	⑤ ③のうち小規模宅地等（限度面積要件を満たす宅地等）の面積
	② 所在地番	⑥ ④のうち小規模宅地等（④×⑤／③）の価額
	③ 取得者の持分に応ずる宅地等の面積	⑦ 課税価格の計算に当たって減額される金額（⑥×⑨）
	④ 取得者の持分に応ずる宅地等の価額	⑧ 課税価格に算入する価額（④−⑦）
1	①国税　花子〔　　　〕	⑤ 82.5 ㎡
	②春日部市○○○3丁目5番16号	⑥ 321750000 円
	③ 82.5 ㎡	⑦ 257400000 円
	④ 321750000 円	⑧ 64350000 円
1	①国税　一郎〔　　　〕	⑤ 82.5 ㎡
	②春日部市○○○3丁目5番16号	⑥ 321750000 円
	③ 82.5 ㎡	⑦ 257400000 円
	④ 321750000 円	⑧ 64350000 円
4	①国税　花子〔　貸家　〕	⑤ 100. ㎡
	②春日部市○○○3丁目5番17号	⑥ 308100000 円
	③ 150. ㎡	⑦ 154050000 円
	④ 462150000 円	⑧ 308100000 円

(注)1　①欄の〔　〕は、選択した小規模宅地等が被相続人等の事業用宅地等（2、3又は4）である場合に、相続開始の直前にその宅地等の上で行われていた被相続人等の事業について、例えば、飲食サービス業、法律事務所、貸家などのように具体的に記入します。
　　2　小規模宅地等を選択する一の宅地等が共有である場合又は一の宅地等が貸家建付地である場合において、その評価額の計算上「賃貸割合」が1でないときには、第11・11の2表の付表1（別表1）を作成します。
　　3　小規模宅地等を選択する宅地等が、配偶者居住権に基づく敷地利用権又は配偶者居住権の目的となっている建物の敷地の用に供される宅地等である場合には、第11・11の2表の付表1（別表1の2）を作成します。
　　4　⑧欄の金額を第11表の付表1の「財産の明細」の「価額」欄に転記します。

○「限度面積要件」の判定

　上記「2　小規模宅地等の明細」の⑤欄で選択した宅地等の全てが限度面積要件を満たすものであることを、この表の各欄を記入することにより判定します。

小規模宅地等の区分	被相続人等の居住用宅地等	被相続人等の事業用宅地等		
小規模宅地等の種類	1 特定居住用宅地等	2 特定事業用宅地等	3 特定同族会社事業用宅地等	4 貸付事業用宅地等
⑨ 減額割合	$\frac{80}{100}$	$\frac{80}{100}$	$\frac{80}{100}$	$\frac{50}{100}$
⑩ ⑤の小規模宅地等の面積の合計	165 ㎡			100 ㎡
⑪ 限度面積 イ 小規模宅地等のうちに4貸付事業用宅地等がない場合	【1の⑩の面積】 ㎡≦330㎡	【2の⑩及び3の⑩の面積の合計】 ㎡ ≦ 400㎡		
⑪ 限度面積 ロ 小規模宅地等のうちに4貸付事業用宅地等がある場合	【1の⑩の面積】 165 ㎡×$\frac{200}{330}$	【2の⑩及び3の⑩の面積の合計】 ㎡×$\frac{200}{400}$	+	【4の⑩の面積】 100 ㎡ ≦ 200㎡

(注)　限度面積は、小規模宅地等の種類（「4 貸付事業用宅地等」の選択の有無）に応じて、⑪欄（イ又はロ）により判定を行います。「限度面積要件」を満たす場合に限り、この特例の適用を受けることができます。

※ 税務署整理欄	年分		名簿番号		申告年月日		一連番号		グループ番号		補完	

第11・11の2表の付表1（令6.7）　　　　　　　　　　　　　　　　　　　　（資4−20−12−3−1−A4統一）

Chapter 9

上場株式等の評価

上場株式

上場株式の評価は、株式市場の株価に基づいて計算を行います。

この Section では、上場株式の評価について学習します。

1 概　要（評通168）

1．株式の評価区分

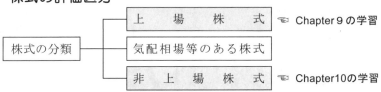

株式の分類 ─┬─ 上　場　株　式　☞ Chapter 9 の学習
　　　　　　├─ 気配相場等のある株式
　　　　　　└─ 非　上　場　株　式　☞ Chapter10の学習

(1) 上場株式

金融商品取引所[01]に上場されている株式をいいます。

(2) 気配相場等のある株式（参考）

① 登録銘柄[02]

日本証券業協会の内規によって登録銘柄として登録されている株式及び店頭管理銘柄をいいます。

② 公開途上にある株式[03]

金融商品取引所が株式の上場を承認したことを明らかにした日から上場の日の前日までのその株式及び日本証券業協会が株式を登録銘柄として登録することを明らかにした日から登録の日の前日までのその株式をいいます。

(3) 非上場株式[04]

(1)及び(2)に掲げる株式以外の株式をいいます。

2．評価単位

株式の価額は、それらの銘柄の異なるごとに上記の区分に従い、その1株ごとに評価します。

【基本算式】

1株当たりの価額×取得株式数

*01) 平成19年証券取引法の改正により証券取引所から金融商品取引所に改称されましたが、各取引所は従来の名称を使用しています。代表例が東京証券取引所です。

*02) 日本証券業協会に登録されている店頭市場での取引を認められている株式のことですが、現在はJASDAQ（ジャスダック）市場として上場株式と同じように取り扱われています。

*03) 上場手続中にある株式のことです。この場合の評価額は、「公開価格」によります。

*04) 非上場株式とは、中小企業を中心とした非上場会社の株式のことです。取引相場のない株式とも言います。

2 上場株式の評価

➢➢問題集 問題1

1. 意　義

　　上場株式とは、全国4か所（東京[*01]、札幌、名古屋、福岡）の金融商品取引所に上場されている株式、すなわち金融商品取引所を通じて市場価格が形成されている株式をいいます。

*01) 平成25年1月1日より東京証券取引所と大阪証券取引所が経営統合し日本取引所グループとなりました。

2. 評価方法（評通169(1)）

　　次に掲げるもののうち最も低い価額により評価します。[*02]

(1) 課税時期の最終価格

(2) 課税時期の属する月以前3か月間の毎日の最終価格の月平均額

*02) 課税時期の最終価格のみを評価時点とするのではなく、評価の安全性を考慮して課税時期以前3か月間の平均も評価額とすることができます。なお、最終価格とは株式市場が閉まる午後3時の終値のことです。

【基本算式】

① 課税時期の最終価格

② 課税時期の属する月の毎日の最終価格の月平均額

③ 課税時期の属する月の前月の毎日の最終価格の月平均額

④ 課税時期の属する月の前々月の毎日の最終価格の月平均額

∴ ①～④のうち最も低い価額

(注) 2以上の金融商品取引所に上場されている場合

→ 納税者有利の選択により最終価格が最も低い取引所を選択することができます。

＜例　題＞

次の評価資料により、上場株式10,000株の評価額を求めなさい。

(1) 課税時期（4月15日）の最終価格　　　　1,500円

(2) 4月の最終価格の月平均額　　　　　　　1,450円

(3) 3月の最終価格の月平均額　　　　　　　1,380円

(4) 2月の最終価格の月平均額　　　　　　　1,250円

（解　答）

　1,500円、1,450円、1,380円、1,250円 ∴ 1,250円

　1,250円×10,000株＝12,500,000円

3．課税時期に最終価格がない場合（評通171(1)）

(1) 課税時期前後の最終価格のうち、課税時期に最も近い日の最終価格を課税時期の最終価格とします。[*03]

(2) その価格が課税時期の前後双方で2つある場合は、その平均額を課税時期の最終価格（円未満切捨）とします。

<図　解>

```
1日        14日  15日  16日  17日  18日  19日  20日
├─────────┼────┼────┼────┼────┼────┼────┤
         122円   ↑─────── 取引なし ───────↑   125円
```

(1) 課税時期が18日の場合

　　課税時期の最終価格　　20日　→　125円

(2) 課税時期が17日の場合

　　課税時期の最終価格　　14日と20日の平均額

$$\frac{122円＋125円}{2}＝123.5円　→　123円（円未満切捨）$$

<例　題>

次の評価資料により、上場株式20,000株の評価額を求めなさい。

(1) 課税時期（4月20日）前後の最終価格

　　4月18日　770円　　　4月19日〜20日　なし

　　4月21日　775円

(2) 4月の最終価格の月平均額　　　790円

(3) 3月の最終価格の月平均額　　　812円

(4) 2月の最終価格の月平均額　　　835円

（解　答）

775円[*04]、790円、812円、835円　∴　775円

775円×20,000株＝15,500,000円

*03) 課税時期が土日や祝祭日、年末年始あるいは株が暴落して値がつかないような場合には、課税時期前後をみて最も近い日の株価を採用します。他にも課税時期の価額を採用する評価がいくつかでてきますが、課税時期前後の金額を採用できるのは上場株式とそれに類似するものだけとなります。他の財産の評価ではすべて課税時期前しか採用することができません。

*04) 課税時期に最終価格がないため、課税時期に最も近い4月21日の最終価格を選択します。

次の上場株式の評価を行いなさい。

株式会社P社（本店所在地は愛知県名古屋市。以下「P社」という。）の株式60,000株及び株式会社Q社（本店所在地は東京都港区。以下「Q社」という。）の株式16,000株

P社及びQ社の株式は、いずれも金融商品取引所に上場されている株式であり、その取引所の公表する令和4年の株価は次のとおりである。

	P 社		Q 社	
	東　証	名　証	東　証	名　証
4月20日（課税時期）の最終価格	400円	410円	1,200円	1,150円
4月の毎日の最終価格の平均額	410円	410円	1,150円	1,100円
3月の毎日の最終価格の平均額	430円	440円	1,250円	1,200円
2月の毎日の最終価格の平均額	450円	450円	1,230円	1,240円

(注)　上記表中、「東証」とは東京証券取引所を、「名証」とは名古屋証券取引所を示す。

解答

（単位：円）

(1)　P社の株式

①　東証

400、410、430、450　∴　400

②　名証

410、410、440、450　∴　410

③　①＜②　∴　400

400×60,000株＝24,000,000

(2)　Q社の株式

①　東証

1,200、1,150、1,250、1,230　∴　1,150

②　名証

1,150、1,100、1,200、1,240　∴　1,100

③　①＞②　∴　1,100

1,100×16,000株＝17,600,000

解説

まず証券取引所ごとに最低額を選択し、次に各証券取引所の最低額同士を比較していずれか低い方を最終的な評価額とします。

3 増資等があった場合の課税時期の最終価格の特例

▶▶問題集 問題2

1．概　要

　　上場株式の評価方法の原則は前記のとおりですが、その株式について増資又は配当が行われている場合には、最終価格を修正する必要があります。

　　これは、増資又は配当[*01]が行われている前後で株式の価額が変動するため、その前後の価額をそのまま比較しても適切な評価が得られないためです。

2．課税時期の最終価格の特例

　　上場株式について株式の割当や配当（割当等）があるときには、その株式の取引価格は権利落等のため通常基準日の3日前（権利落等の日）から値下りします。

　　このため、課税時期と基準日の関係によっては、原則評価方法をそのまま採用することが適当でない場合が生じます。そこで、それらの評価のために特例が設けられています。

*01）増資による新株の交付や配当は、基準日の株主名簿に名前が記載されている者に対して行われます。したがって、株式を購入しても株主名簿に名前が載らない、つまり新株の交付をしてもらえない、配当を受け取ることができないとなると株価は理論上、値下がりします。この値下がり日のことを「権利落の日」「配当落の日」といいます。

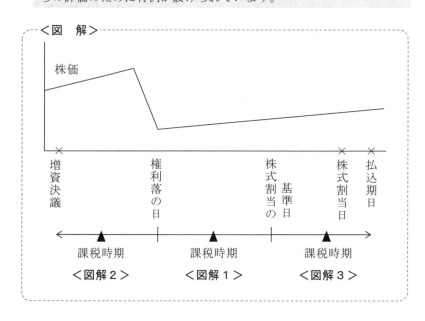

3．課税時期が権利落の日から株式の割当の基準日までの間にある場合

権利落の日の前日以前の最終価格のうち、課税時期に最も近い日の最終価格をもって課税時期の最終価格とします。[*02]（評通170）

[*02] 課税時期が基準日以前にある場合には、権利落の前日以前の株価（高い株価）で評価するという決まりです。逆に、課税時期が基準日の翌日以後にある場合には、権利落の日以後の株価（低い株価）をもって評価しますが、そのままだと課税上の不公平が生じるため、後者の場合には、株式に関する権利も併せて評価することにより不公平な課税が生じないように調整しています。なお、株式に関する権利の詳細は、Section2で学習します。☞9−18ページ

<図解１>

	権利落の前日	権利落の日	（課税時期）	株式割当の基準日	
その月	1日　16日	17日	18日	19日	20日　31日
	122円	125円	100円	97円	95円

↑—— 課税時期の最終価格（17日の125円）

19日の最終価格は権利落後の最終価格のため採用できません。権利落ちの前日以前の最終価格のうち課税時期に最も近い17日の価格を採用することになります。

※　課税時期と株式割当の基準日が同日である場合も課税時期の最終価格は125円となります。

<具体例>

次の上場株式の課税時期の最終価格を求めなさい。

(1)　4月19日（課税時期）の最終価格　　　　980円
(2)　4月18日の最終価格　　　　　　　　1,000円
(3)　4月17日の最終価格　　　　　　　　1,500円
(4)　増資の資料
　①　株式割当の基準日　　　　　　　　4月20日
　②　権利落の日　　　　　　　　　　　4月18日
　③　株式1株につき株式　　　　　　　　0.5株
　④　株式1株につき払い込むべき金額　　　500円

（解　答）

課税時期の最終価格　　1,500円[*03]

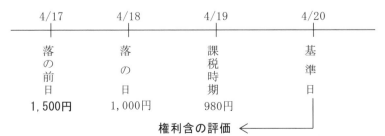

[*03] 課税時期が基準日以前にあるため、高い株価での評価となります。したがって、権利落の前日以前の株価のうち課税時期に最も近い日の1,500円を採用します。なお、課税時期に最終価格はありますが、この株価は採用できません。

4. 課税時期が権利落の日の前日以前で課税時期に最終価格がない場合

権利落の日の前日以前の最終価格のうち、課税時期に最も近い日の最終価格をもって課税時期の最終価格とします。*04)　（評通171(2)）

*04) 課税時期が基準日以前にある場合には、権利落の前日以前の株価（高い株価）をもって評価しますので、権利落の前日以前の株価のうち課税時期に最も近い日の125円を採用します。

<図解2>

	1日	11日	12日（課税時期）	13日	14日	15日 権利落の前日	16日 権利落の日	18日 株式割当の基準日	31日

その月　125円　←　取引なし　→　100円　95円

↑課税時期の最終価格

16日が課税時期に最も近い日ですが、権利落の価格であるため採用できません。

―<具体例>―

次の上場株式の課税時期の最終価格を求めなさい。

(1)　4月12日（課税時期）の最終価格　　　なし

(2)　4月10日の最終価格　　　　　　　1,000円

(3)　4月11日の最終価格　　　　　　　なし

(4)　4月13日の最終価格　　　　　　　700円

(5)　増資の資料

　①　株式割当の基準日　　　　　　4月15日

　②　権利落の日　　　　　　　　　4月13日

　③　株式1株につき株式　　　　　0.5株

　④　株式1株につき払い込むべき金額　100円

（解　答）

課税時期の最終価格　　1,000円*05)

*05) 課税時期が基準日以前にあるため、高い株価での評価となります。したがって、権利落の前日以前の株価のうち課税時期に最も近い日の1,000円を採用します。

5. 課税時期が株式の割当の基準日の翌日以後で課税時期に最終価格がない場合

　権利落の日以後の最終価格のうち、課税時期に最も近い日の最終価格をもって課税時期の最終価格とします。*06)　（評通171(3)）

*06) 課税時期が基準日の翌日以後にある場合は、権利落の日以後の株価（低い株価）を採用します。なお、この場合には株式に関する権利も併せて評価します。通常、株式を取得した者は株式に関する権利も承継します。

<図解3>

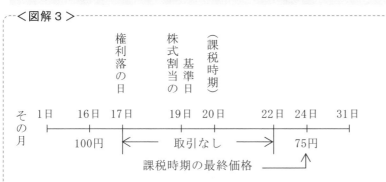

　16日の株価は権利落の株価ではないので採用できません。また、課税時期の前後（16日と24日）に最も近い日が2つありますが、平均額は採用できません。

― <具体例> ―

　次の上場株式の課税時期の最終価格を求めなさい。

(1)　5月18日（課税時期）の最終価格　　　　なし
(2)　5月12日の最終価格　　　　　　　　　1,000円
(3)　5月13日の最終価格　　　　　　　　　720円
(4)　5月15日から18日の最終価格　　　　　なし
(5)　5月19日の最終価格　　　　　　　　　700円
(6)　増資の資料
　①　株式割当の基準日　　　　　　　　5月15日
　②　権利落の日　　　　　　　　　　　5月13日
　③　株式1株につき株式　　　　　　　0.5株
　④　株式1株につき払い込むべき金額　　100円

（解　答）

　課税時期の最終価格　700円*07)

*07) 課税時期が基準日の翌日以後にあるため、低い株価での評価となります。したがって、権利落の日以後の株価のうち課税時期に最も近い日の700円を採用します。

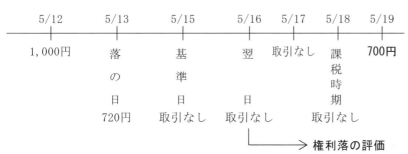

次の各設問における株式の課税時期（4月24日）の最終価格を求めなさい。

（設問1）　X上場株式

　⑴　最終価格

　　　4月22日　850円　　　　4月23日　570円　　　　4月24日～4月26日　取引なし

　　　4月27日　520円

　⑵　増資の内容

　　①　権利落の日　　　　　4月23日

　　②　株式割当の基準日　　4月25日

（設問2）　Y上場株式

　⑴　最終価格

　　　4月23日　500円　　　　4月24日　取引なし　　　4月25日　350円

　⑵　増資の内容

　　①　権利落の日　　　　　4月25日

　　②　株式割当の基準日　　4月27日

（設問3）　Z上場株式

　⑴　最終価格

　　　4月17日　770円　　　　4月21日　515円　　　　4月22日～4月26日　取引なし

　　　4月27日　500円

　⑵　増資の内容

　　①　権利落の日　　　　　4月21日

　　②　株式割当の基準日　　4月23日

解答

　（設問1）　850円

　（設問2）　500円

　（設問3）　$\dfrac{515円＋500円}{2}＝507円$（円未満切捨）

解説

　（設問1）　4月23日の最終価格は、権利落後の最終価格なので採用できません。

　（設問2）　課税時期前後における最も近い日の最終価格が2つありますが、4月25日の最終価格は権利
　　　　　　　落後の最終価格なので平均額は採用できません。

　（設問3）　4月21日及び4月27日の最終価格はどちらも権利落の最終価格であり、日数差が同じである
　　　　　　　ことから平均額が課税時期の最終価格となります。

4 最終価格の月平均額の特例

⑴ 月平均額の修正の必要性

課税時期 ──┬── 基準日以前　　→ 権利含で評価 ──┬── ① 課税時期の最終価格
　　　　　　│　　　　　　　　　　　　　　　　　├── ② 属する月の月平均額
　　　　　　│　　　　　　　　　　　　　　　　　├── ③ 属する月の前月の月平均額
　　　　　　└── 基準日の翌日以後 → 権利落で評価 └── ④ 属する月の前々月の月平均額

① **課税時期の最終価格の修正**（評通170、171）

　　課税時期によって株式の評価を「権利含の評価」「権利落の評価」に修正します。

② **最終価格の月平均額の修正**（評通172）

　　最終価格の月平均額も、課税時期によって「権利含の評価」「権利落の評価」への修正が必要となります。

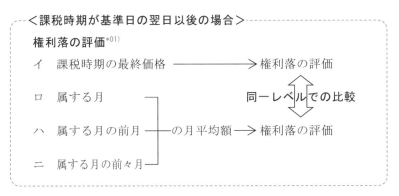

＜課税時期が基準日の翌日以後の場合＞

権利落の評価[01]

イ　課税時期の最終価格 ──────→ 権利落の評価

ロ　属する月 ──┐
　　　　　　　　├─ の月平均額 ──→ 権利落の評価　　同一レベルでの比較
ハ　属する月の前月 ─┤

ニ　属する月の前々月 ─┘

＜課税時期が基準日以前の場合＞

権利含の評価[02]

イ　課税時期の最終価格 ──────→ 権利含の評価

ロ　属する月 ──┐
　　　　　　　　├─ の月平均額 ──→ 権利含の評価　　同一レベルでの比較
ハ　属する月の前月 ─┤

ニ　属する月の前々月 ─┘

*01) 上場株式の評価は課税時期の最終価格のほか、課税時期の属する月以前3か月間の月平均額と比較します。したがって、課税時期の最終価格が権利落となっている場合には、比較すべき月平均額も同じく権利落でなければなりません。そこで、月平均額が権利含の価格となっているときは権利落に修正します。

*02) 課税時期の最終価格が権利含となっている場合には、比較すべき月平均額も同じく権利含でなければなりません。そこで、月平均額が権利落の価格となっているときは権利含に修正します。

(2) 課税時期が株式の割当等の基準日の翌日以後である場合➡権利落で評価

① その権利落の日が属する月の最終価格の月平均額*03)（評通172(3)）

> 権利落の日からその月の末日までの毎日の最終価格の平均額

*03) 課税時期が基準日の翌日以後であるため、権利落のみの平均額をその月の平均額とみなします。

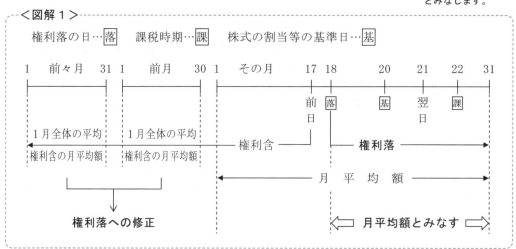

＜図解1＞

② その権利落等の日が属する月の前月以前の各月の最終価格の
月平均額*04)（評通172(4)）

*04) 月平均額は権利含の金額であるため、権利落に修正します。

＜権利含を権利落に修正する算式＞

【基本算式】

$$\left[\begin{array}{c}\text{その月の}\\\text{最終価格の}\\\text{月平均額}\end{array} + \begin{array}{c}\text{割当を受けた株式}\\\text{1株につき払い込}\\\text{むべき金額}\end{array} \times \begin{array}{c}\text{株式1株に}\\\text{対する割当}\\\text{株式数}\end{array}\right] \div \left[1 + \begin{array}{c}\text{株式1株に}\\\text{対する割当}\\\text{株式数}\end{array}\right] = \text{月平均額}$$

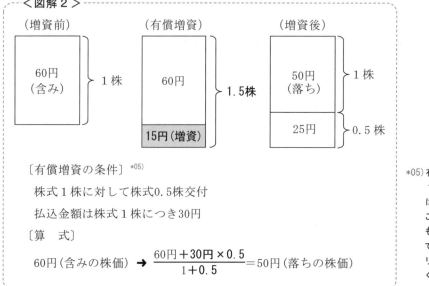

＜図解2＞

（増資前）
60円（含み）　1株

（有償増資）
60円
15円（増資）　1.5株

（増資後）
50円（落ち）　1株
25円　0.5株

*05) 有償増資により増資後の1株当たりの純資産価額は50円と下がっています。この考え方を算式化したものが、上記の基本算式ですが、図解と分数式をリンクさせて理解しておくと良いでしょう。

〔有償増資の条件〕*05)
　株式1株に対して株式0.5株交付
　払込金額は株式1株につき30円
〔算　式〕

60円（含みの株価）➡ $\dfrac{60円 + 30円 \times 0.5}{1 + 0.5} = 50円（落ちの株価）$

⑶　課税時期が株式の割当等の基準日以前である場合→権利含で評価

①　その権利落等の日が属する月の最終価格の月平均額*06)

（評通172⑴)

その月の初日からその権利落の日の前日までの毎日の最終価格の平均額

*06) 課税時期が基準日以前であるため、権利含のみの平均額をその月の平均額とみなします。

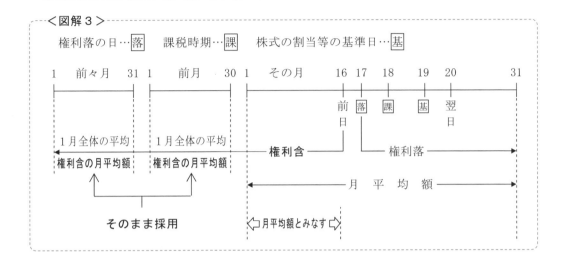

②　その権利落等の日が課税時期の属する月の初日以前である場合における課税時期の属する月の最終価格の月平均額*07)（評通172⑵)

*07) 課税時期が月初（４月１日など）に設定されていたら注意してください。

＜権利落を権利含に修正する算式＞

【基本算式】

$$\text{その月の最終価格の月平均額} \times \left[1 + \frac{\text{株式１株に対する割当株式数}}{} - \frac{\text{割当を受けた株式１株につき払い込むべき金額}}{} \times \frac{\text{株式１株に対する割当株式数}}{} \right] = \text{月平均額}$$

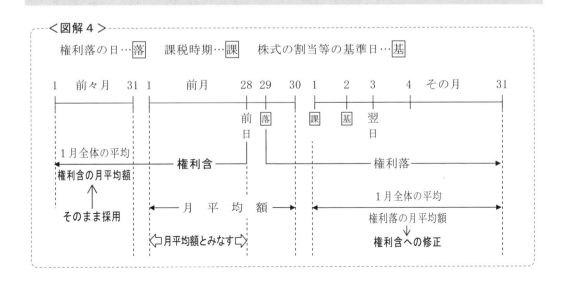

次の上場株式の評価を行いなさい。（株式に関する権利については評価しなくてよい。）

上場株式　　10,000株

＜1株当たりの評価資料＞

⑴　課税時期（4月10日）の最終価格　　　　　　　　　　　　　　430円

⑵　4月の最終価格の月平均額　　　　　　　　　　　　　　　　　425円

⑶　3月1日～28日の最終価格の平均額　　　　　　　　　　　　　575円

⑷　3月29日～31日の最終価格の平均額　　　　　　　　　　　　　435円

⑸　3月の最終価格の月平均額　　　　　　　　　　　　　　　　　542円

⑹　2月の最終価格の月平均額　　　　　　　　　　　　　　　　　550円

　当社は、3月31日を基準日として株式の発行を決議しており、このためこの株式は3月29日権利落している。なお、払込金額は株式1株につき100円、割当株式数は株式1株につき0.5株である。

解　答

⑴　430円

⑵　425円

⑶　435円

⑷　$\dfrac{550円＋100円×0.5}{1＋0.5}＝400円$

∴　400円

400円×10,000株＝4,000,000円

解　説

　増資等がある場合の問題では、簡単なタイムテーブルを書くと間違えにくくなります。本問では、課税時期が基準日の翌日以後であるため権利落ちの評価となります。

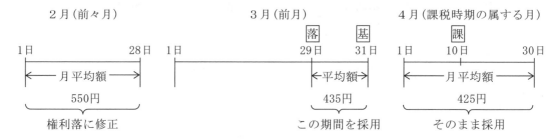

設例 1-4　　　　　　　　　　　　　　　　　　　　　　　　上場株式の評価

次の上場株式の評価を行いなさい。

上場株式　　　10,000株

＜1株当たりの評価資料＞

(1)	課税時期(4月29日)の最終価格	取引なし
(2)	4月27日の最終価格	1,200円
(3)	4月28日の最終価格	950円
(4)	4月1日〜27日の最終価格の平均額	1,150円
(5)	4月28日〜30日の最終価格の平均額	920円
(6)	4月の最終価格の月平均額	1,090円
(7)	3月の最終価格の月平均額	1,240円
(8)	2月の最終価格の月平均額	1,310円

　当社は、4月30日を基準日として株式の発行を決議しており、このためこの株式は4月28日権利落している。

解答

　　(1)　1,200円

　　(2)　1,150円

　　(3)　1,240円

　　(4)　1,310円

　　∴　1,150円

　　1,150円×10,000株＝11,500,000円

解説

　課税時期が基準日以前であるため、権利含の評価となります。

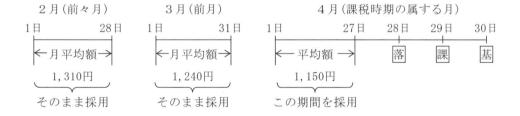

次の上場株式の評価を行いなさい。

上場株式　　　10,000株

＜1株当たりの評価資料＞

(1)　課税時期（4月1日）の最終価格　　　　　　　　　　　　1,280円

(2)　3月31日の最終価格　　　　　　　　　　　　　　　　　1,220円

(3)　3月30日の最終価格　　　　　　　　　　　　　　　　　1,450円

(4)　4月の最終価格の月平均額　　　　　　　　　　　　　　1,250円

(5)　3月1日～30日の最終価格の平均額　　　　　　　　　　1,500円

(6)　3月の最終価格の月平均額　　　　　　　　　　　　　　1,490円

(7)　2月の最終価格の月平均額　　　　　　　　　　　　　　1,480円

　当社は、4月2日を基準日として株式の発行を決議しており、このためこの株式は3月31日権利落している。なお、払込金額は株式1株につき500円、株式の割当数は株式1株につき0.2株である。

解　答

　　(1)　1,450円

　　(2)　1,250円×（1＋0.2）－500円×0.2＝1,400円

　　(3)　1,500円

　　(4)　1,480円

　　　∴　1,400円

　　1,400円×10,000株＝14,000,000円

解　説

　課税時期が基準日以前であるため、権利含の評価となります。

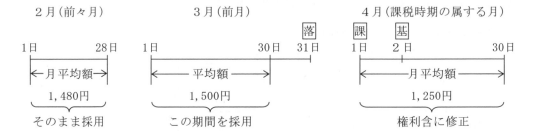

(4) 配当落があった場合の月平均額の修正

配当落の場合にあっては、**その月の初日から末日までの毎日の最終価格の平均額**とします。[*08](評通172( )書)

➡ 「配当含」「配当落」の修正は行いません。

*08) 配当金の交付は月平均額にまでは影響を及ぼさないであろうと考えて月平均額の修正は行わないこととなっています。

設例1-6　　上場株式の評価

次の上場株式の評価を行いなさい。（株式に関する権利については評価しなくてよい。）

上場株式　10,000株

＜1株当たりの評価資料＞

(1) 課税時期（4月20日）の最終価格　　　　　　　　　750円

(2) 4月の最終価格の月平均額　　　　　　　　　　　　780円

(3) 3月1日～28日の最終価格の平均額　　　　　　　　880円

(4) 3月29日～31日の最終価格の平均額　　　　　　　730円

(5) 3月の最終価格の月平均額　　　　　　　　　　　　865円

(6) 2月の最終価格の月平均額　　　　　　　　　　　　858円

当社は、3月31日を基準日として1株当たり50円の現金配当を行うことを決定している。このため、この株式は3月29日配当落している。

解 答

(1) 750円

(2) 780円

(3) 865円

(4) 858円

∴　750円

750円×10,000株＝7,500,000円

解 説

配当落の場合は、月平均額の修正は行わずに評価額を計算します。

Section 2 株式に関する権利

権利落ちや配当落ちがある場合、一定期間において株式に関する権利も評価します。
この Section では、株式に関する権利の評価について学習します。

1 株式に関する権利

>>問題集 問題3

1. 概　要

　株式は、増資や配当がある場合に権利や配当を含んだ価額又は権利
落ちや配当落ちした価額に分けて評価を行いました。この場合、権利
落ちや配当落ちした株価の価額には、株式に関する権利を加えて評価
することで課税のバランスを保つこととしています。

2. 株式に関する権利の評価区分（評通168）

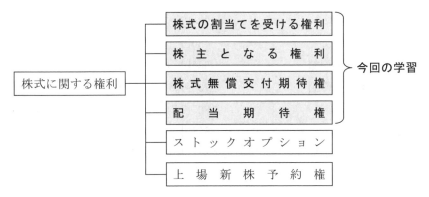

3. 評価単位

　株式に関する権利の価額は、それらの銘柄の異なるごとに上記の
区分に従い評価します。

(1) 株式の割当てを受ける権利[*01]

　株式の割当基準日の翌日から株式の割当ての日までの間における株式の割当てを受ける権利をいいます。

*01) 有償増資があった場合に、新株を割当ててもらうことができる権利です。

(2) 株主となる権利[*02]

　株式の申込みに対して割当てがあった日の翌日（会社の設立に際し発起人が引受けをする株式にあっては、その引受けの日）から会社の設立登記の日の前日（会社成立後の株式の割当ての場合にあっては、払込期日（払込期間の定めがある場合には払込みの日））までの間における株主の引受けに係る権利をいいます。

*02) 有償増資等の場合に、新株の割当てを受けた後、お金を払い込むまでの期間に発生する権利です。

(3) 株式無償交付期待権[*03]

　株式無償交付の基準日の翌日から株式無償交付の効力が発生する日までの間における株式の無償交付を受けることができる権利をいいます。

*03) 無償増資の場合に、新株を交付してもらうことができる権利です。

(4) 配当期待権[*04]

　配当金交付の基準日の翌日から配当金交付の効力が発生する日までの間における配当金を受けることができる権利をいいます。

*04) 配当を受けることができる権利です。

(5) ストックオプション[*05]

　ストックオプションとは、会社が取締役や従業員などに対して予め定められた価額（権利行使価額）で会社の株式を取得することのできる権利を付与し、取締役や従業員は将来株価が上昇した時点で権利行使を行い、会社の株式を取得し、売却することにより、株価上昇分の報酬が得られるという一種の報酬制度です。

　なお、その目的たる株式が上場株式であり、かつ、課税時期が権利行使可能期間内にあるものに限り、課税対象とします。

*05) ストックオプションの評価についての詳細は、応用編教科書のChapter2で学習します。

(6) 上場新株予約権[*06]

　会社法の規定により無償で割り当てられた新株予約権のうち、金融商品取引所に上場されているもの及び上場廃止後権利行使可能期間内にあるものをいいます。

*06) 上場会社が既存株主全員に対して新株予約権無償割当てを行い、その新株予約権自体が金融商品取引所において上場される事例が増えてきていることから、財産評価通達に加えられたものです。平成27年1月1日以降に取得した財産から適用されます。詳細については応用編教科書のChapter2で学習します。

4．株式の割当てを受ける権利の評価（評通190）

株式の割当てを受ける権利とは、株式の割当基準日の翌日から株式の割当ての日までの間[07]における株式の割当てを受ける権利のことです。

【基本算式】

（株式の評価額－払込金額）[08] × 取得株式数 × 1株に対する割当数[09]

5．株主となる権利（評通191）

株式の申込みに対して割当てがあった日の翌日から払込期日までの間における株式の引受けに係る権利のことです。[10]

【基本算式】

（株式の評価額－払込金額※）× 取得株式数 × 1株に対する割当数

※ 課税時期の翌日以後にその株主となる権利につき払込むべき金額がある場合[11]

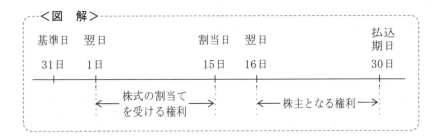

*07) 株主割当による新株発行の公告があった場合に、株式の割当てを引受けるか否かの申込み期間です。

*08) 株式の評価額から払込金額を控除している部分は、被相続人等から株式を相続等により取得した者が受けた1株当たりの経済的利益です。なぜならば、株式を取得した者が増資に係る払込みを行うためです。

*09) 取得株式数に割当数を乗じることで増資によって取得する新株数を求めます。

*10) 課税時期が基準日の翌日から割当日までにある場合と、割当日の翌日から払込期日までにある場合とでは財産の名称が異なります。「株主となる権利」は有償増資を引き受けた後、払込期日までに課税時期がある場合となりますので、課税時期までのお金の払込みの有無で評価額が異なります。

*11) 課税時期において被相続人等が有償増資分をまだ払込んでいなければ、株式を取得した者が増資に係る払込みを行うため株式の評価額から払込分を控除することとなりますが、被相続人等が既に有償分を払込み済みであれば、相続人等はお金を払込むことなく新株を取得できますので、払込分の控除は不要となります。

6. 株式無償交付期待権（評通192）

「株式無償交付期待権」とは、株式無償交付の基準日の翌日から株式無償交付の効力が発生する日までの間における株式の無償交付を受けることができる権利のことです。*12)

*12) 無償増資の場合に発生する株式に関する権利です。評価としては、有償増資の場合の払込み金額を0と考えればよいということです。

【基本算式】
株式の評価額×取得株式数×1株に対する交付数

＜図　解＞

基準日	翌日		株式無償交付の効力発生日
31日	1日		30日

←————株式無償交付期待権————→

7. 配当期待権の評価（評通193）

配当期待権とは、配当金交付の基準日*13)の翌日から配当金交付の効力が発生する日（配当支払い確定日*14)）までの間における配当金を受けることができる権利をいいます。

なお、配当支払い確定日を過ぎてから配当金受領日までの間は未収配当金（未収金）*15)として計上します。

*13) 年配当の場合には決算日となります。

*14) 株主総会の決議に基づいて配当の支払いが確定した日となります。

*15) 課税時期において配当金が未収である指示がある場合には課税財産として計上してください。

【基本算式】
（1株当たりの配当金額－源泉徴収所得税額等(注)）×取得株式数

(注)　上場株式の源泉徴収税率
20.315％（所得税等15.315％*16)と地方税5％の合計です）
なお、源泉徴収所得税額等は銭未満切捨となります。

*16) 平成25年1月1日から令和19年12月31日までに生ずる源泉所得税は、15％の税率に2.1％を乗じた復興特別所得税が加算※されて徴収されます。
　　※　復興特別所得税込み15％×102.1％＝15.315％

＜図　解＞

効力発生日

基準日	翌日	（配当支払い確定日）		配当金受領日

←———配当期待権———※———未収配当金———→

次の上場株式等（株式に関する権利を含む。）の評価をしなさい。

W株式会社（以下「W社」という。）の株式　　　10,000株

この株式は、東京証券取引所の一部に上場されている株式で、その株価等の状況は次のとおりである。

⑴　課税時期（4月25日）の最終価格　　　　　　　　　　　　　　425円

⑵　毎日の最終価格の平均額

　　4月の最終価格の月平均額　　　　　　　　　　　　　　　　440円

　　3月の最終価格の月平均額　　　　　　　　　　　　　　　　578円

　　3月1日から3月28日までの毎日の最終価格の平均額　　　　603円

　　3月29日から3月31日までの毎日の最終価格の平均額　　　　430円

　　2月の最終価格の月平均額　　　　　　　　　　　　　　　　580円

⑶　W社は、次のとおり株主割当増資をしている。

　　株式の割当の基準日　　　　　　4月1日

　　割当日　　　　　　　　　　　　5月1日

　　払込期日　　　　　　　　　　　5月31日

　　株式の割当数　　　　　　　　　株式1株につき0.5株

　　払込金額　　　　　　　　　　　株式1株につき100円

　　権利落の日　　　　　　　　　　3月29日

解答

（単位：円）

株　式

⑴　425　⑵　440　⑶　430　⑷　$\dfrac{580+100\times0.5}{1+0.5}=420$　∴　420

420×10,000株＝4,200,000

株式の割当てを受ける権利

(420−100)×10,000株×0.5＝1,600,000

解説

課税時期が基準日の翌日から割当日までの間にあるため、株式の割当てを受ける権利の評価です。

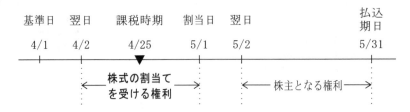

次の上場株式等（株式に関する権利を含む。）の評価をしなさい。

X株式会社（以下「X社」という。）の株式　　10,000株

この株式は、東京証券取引所の一部に上場されている株式で、その株価等の状況は次のとおりである。

⑴　課税時期（4月15日）の最終価格　　　　　　　　　　1,750円

⑵　毎日の最終価格の平均額

　　4月の最終価格の月平均額　　　　　　　　　　　　　1,820円

　　3月の最終価格の月平均額　　　　　　　　　　　　　1,770円

　　2月1日から27日までの毎日の最終価格の平均額　　　2,050円

　　2月28日の最終価格　　　　　　　　　　　　　　　　1,790円

　　1月の最終価格の月平均額　　　　　　　　　　　　　2,200円

⑶　X社は、次のとおり株主割当増資をしている。

　　株式の割当の基準日　　　　　　　3月1日

　　割当日　　　　　　　　　　　　　4月1日

　　払込期日　　　　　　　　　　　　5月31日

　　株式の割当数　　　　　　　　　　株式1株につき0.2株

　　払込金額　　　　　　　　　　　　株式1株につき100円^(注)

　　（注）　課税時期において払込みは行なわれていない。

　　権利落の日　　　　　　　　　　　2月28日

解答　　　　　　　　　　　　　　　　　　　　　　　　　　　　　　　（単位：円）

　　株　式

　　　⑴　1,750　⑵　1,820　⑶　1,770　⑷　1,790　∴　1,750

　　　1,750×10,000株＝17,500,000

　　株主となる権利

　　　(1,750－100)×10,000株×0.2＝3,300,000

解説

　　課税時期が割当日の翌日から払込期日までの間にあるため、株主となる権利の評価となります。

　　なお、課税時期において払込みは行われていないことから、払込金額を株式の価額から控除します。

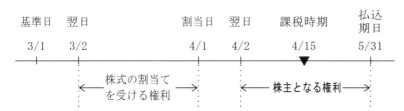

次の上場株式等（株式に関する権利を含む。）の評価をしなさい。

Ｙ株式会社（以下「Ｙ社」という。）の株式　　　10,000株

この株式は、東京証券取引所の一部に上場されている株式で、その株価等の状況は次のとおりである。

⑴　課税時期（４月25日）の最終価格　　　　　　　　　　　2,280円

⑵　毎日の最終価格の月平均額

　　４月の最終価格の月平均額　　　　　　　　　　　　　　2,330円

　　３月の最終価格の月平均額　　　　　　　　　　　　　　2,795円

　　３月１日から28日までの毎日の最終価格の平均額　　　　2,850円

　　３月29日から31日までの毎日の最終価格の平均額　　　　2,310円

　　２月の最終価格の月平均額　　　　　　　　　　　　　　2,700円

⑶　Ｙ社は、次のとおり株式の無償交付を行っている。

　　株式無償交付の基準日　　　　　　４月１日

　　株式無償交付の効力発生日　　　　４月30日

　　株式の交付数　　　　　　　　　　株式１株につき0.2株

　　権利落の日　　　　　　　　　　　３月29日

解答　　　　　　　　　　　　　　　　　　　　　　　　　　　　（単位：円）

　　株　式

　　⑴　2,280　⑵　2,330　⑶　2,310　⑷　$\dfrac{2,700}{1+0.2}=2,250$　∴　2,250

　　2,250×10,000株＝22,500,000

　　株式無償交付期待権

　　2,250×10,000株×0.2＝4,500,000

解説

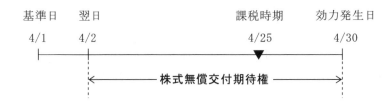

設例2−4　　　　　　　　　　　　　　　　　　　　　　　　　　　　　　　　　　配当期待権

次の上場株式（株式に関する権利を含む。）の評価を行いなさい。

Ｚ株式会社（以下「Ｚ社」という。）の株式　　　10,000株

この株式は、東京証券取引所の一部に上場されている株式で、その株価等の状況は次のとおりである。

(1)　課税時期（４月10日）の最終価格　　　　　　　　　　　　　　　500円

(2)　最終価格の平均額

　　　４月１日から４月30日までの毎日の最終価格の平均額　　　　　520円

　　　３月１日から３月28日までの毎日の最終価格の平均額　　　　　550円

　　　３月29日から３月31日までの毎日の最終価格の平均額　　　　　450円

　　　３月１日から３月31日までの毎日の最終価格の平均額　　　　　540円

　　　２月１日から２月28日までの毎日の最終価格の平均額　　　　　525円

(3)　Ｚ社は以下の内容を定時株主総会で決議している。

　　①　配当金交付の基準日　　　　　　　　３月31日

　　②　配当落の日　　　　　　　　　　　　３月29日

　　③　１株当たりの配当金　　　　　　　　50円

　　④　配当金交付の効力発生日　　　　　　５月25日

　　⑤　配当金に係る源泉徴収税率　　　　　20.315%

解答　　　　　　　　　　　　　　　　　　　　　　　　　　　　　　　（単位：円）

株　式

　(1)　500　(2)　520　(3)　540　(4)　525　∴　500

　　　500×10,000株＝5,000,000

配当期待権

　(50−※10.15)×10,000株＝398,500

　※　50×20.315%＝10.15（銭未満切捨）

解説

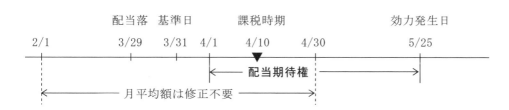

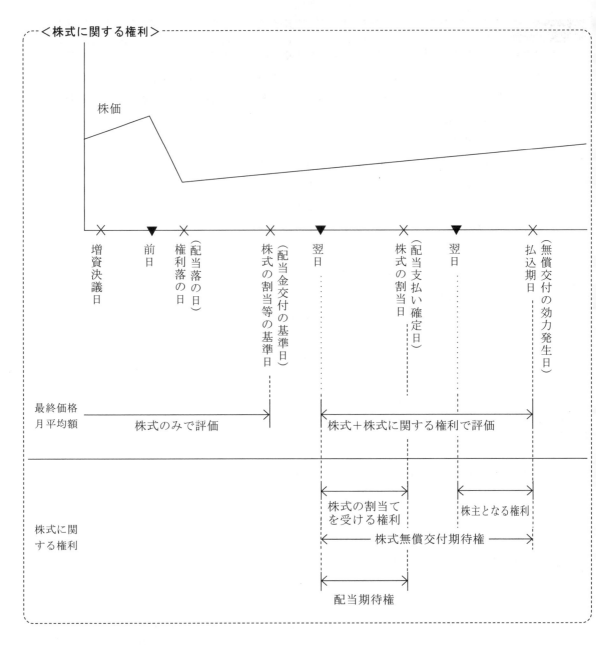

【株式に関する権利の評価のまとめ】

	評　　　　　価
株式の割当てを受ける権利	(株式の評価額－払込金額)×取得株式数×1株に対する割当数
株主となる権利	(株式の評価額－払込金額)×取得株式数×1株に対する割当数
株式無償交付期待権	株式の評価額×取得株式数×1株に対する交付数
配当期待権	(1株当たりの配当金額－源泉徴収所得税額等)×取得株式数

Chapter 10

非上場株式の評価Ⅰ

株主区分と評価方式 1

非上場株式の評価は、まずは株主の区分に応じて評価方式の判定を行います。

この Section では、非上場株式の評価方式の判定について学習します。

1 概　要

1．株主区分と評価方式

非上場株式を取得した者(株主)は、その議決権割合[*01]により次のように区分され、異なる評価方式に基づいて計算します。

*01) 議決権割合とは、株主総会で経営に関する重要事項を決める場合に株主としての権利を行使できる議決権の割合です。

区　　分	評価方式	備　　考
支配株主	原則的評価方式	会社経営の参加を目的として株式を所有していると考えます。
少数株主	配当還元方式 (特例的評価方式)	配当金を受けることを目的として株式を所有していると考えます。

2．会社規模[*02]

上記1の支配株主については、その会社規模の区分に応じ、異なる金額に基づいて評価を行います。

*02) 評価会社を会社の総資産、従業員数及び取引金額に応じて3つの規模に分類し、異なる金額に基づいて評価を行います。

大　会　社	上場会社に匹敵する規模で、上場株式の評価との均衡を図ることが合理的な評価と考えます。
中　会　社	大会社と小会社の中間に位置する規模で、両者の評価を併用した評価を行います。
小　会　社	個人事業主と同等の規模で、個人事業者の財産評価との均衡を図ることが合理的な評価と考えます。

3．評価方式及び評価額

上記1及び2に基づいて、各区分に応じた評価額を計算します。

評価方式及び会社規模		評　価　額
原則的評価方式 (支配株主)	大会社	類似業種比準価額
	中会社	類似業種比準価額と純資産価額との併用
	小会社	純資産価額
配当還元方式 (少数株主)		配当還元価額

1．同族株主のいる会社

同族株主	取得後の議決権割合^{(注)1}が５％以上の株主			原 則 的 評 価 方 式
	取得後の議決権割合が５％未満の株主	中心的な同族株主がいない場合		
		中心的な同族株主がいる場合	中心的な同族株主	
			役員である株主又は役員となる株主^{(注)2}	
			その他の株主	配 当 還 元 方 式
同族株主以外の株主				

（注）1　議決権割合は、相続等による株式取得後の議決権数で判定します。

（注）2　役員となる株主とは、課税時期の翌日から申告期限までの間に役員となる者をいいます。

2．同族株主等の意義

⑴　同族株主

　　課税時期におけるその株式の発行会社の株主のうち、株主の１人及びその同族関係者の有する議決権割合が30％以上（議決権割合が50％超のグループがある会社については、その50％超^{*01)}）である場合におけるその株主及びその同族関係者をいいます。

　　ここでいう同族関係者とは、以下に掲げるものをいいます。

①　株主の親族（配偶者、六親等内の血族及び三親等内の姻族をいいます。）

②　株主と事実上婚姻関係と同様の事情にある者

③　株主の使用人

④　株主から受ける金銭その他の財産により生計を維持している者

⑤　②③④の者と生計を一にするこれらの者の親族

*01)議決権割合が50％超であれば、株主総会の普通決議（取締役、会計監査人の選任・解任、役員報酬、配当法定準備金の取り崩し等の事項です。）を単独で成立させることができるため、50％超の同族関係者グループのみを同族株主とします。なお、議決権に制限のある株式がある場合には、その株式を除いて議決権割合を計算します。

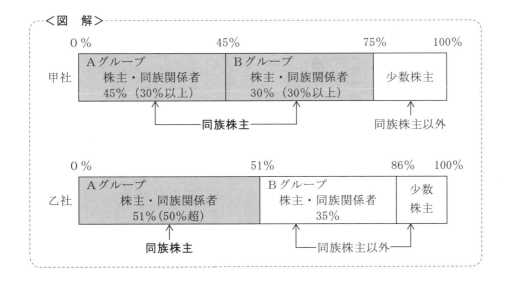

(2) 中心的な同族株主*02)

次の①及び②の要件を満たす株主をいいます。

① 同族株主であること。

② 課税時期における、同族株主の１人並びにその株主の配偶者、直系血族、兄弟姉妹及び一親等の姻族*03)の有する議決権の合計数がその評価会社の議決権総数の25％以上であること。

*02) 同族関係者の範囲をさらに狭めた中心的な同族株主に該当する場合には、会社に対してそれなりの影響力を持っていると考えます。

*03) 一親等の姻族とは、配偶者の父母と子の配偶者です。

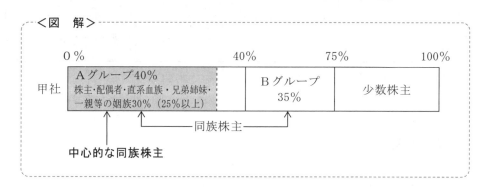

<＜図　解＞>

<＜親族図から見る中心的な同族株主の範囲＞>

黒丸数字は血族の親等、白丸数字は姻族の親等を表します。
⌐¬は姻族を表します。

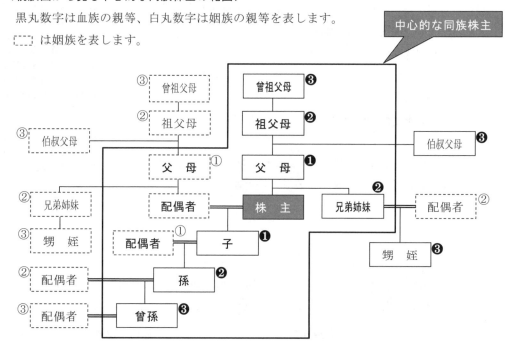

3．評価方式の判定手順

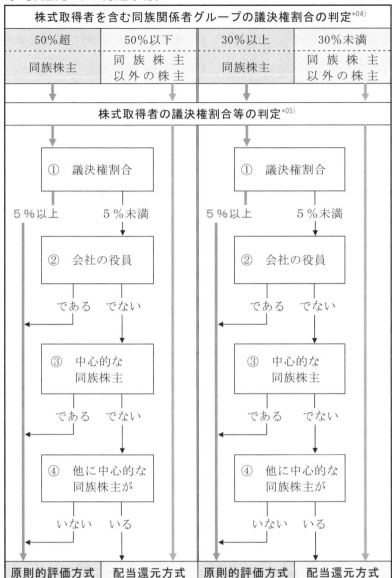

株式取得者を含む同族関係者グループの議決権割合の判定[*04]			
50%超	50%以下	30%以上	30%未満
同族株主	同族株主以外の株主	同族株主	同族株主以外の株主

株式取得者の議決権割合等の判定[*05]

① 議決権割合	① 議決権割合
5％以上　　　5％未満	5％以上　　　5％未満
② 会社の役員	② 会社の役員
である　でない	である　でない
③ 中心的な同族株主	③ 中心的な同族株主
である　でない	である　でない
④ 他に中心的な同族株主が	④ 他に中心的な同族株主が
いない　いる	いない　いる

原則的評価方式	配当還元方式	原則的評価方式	配当還元方式

*04) 議決権割合が50%超または30%以上であれば同族株主に該当し、株式取得者本人が少数株式所有者（5%未満）に該当しなければ「原則的評価方式」となります。

*05) 株式取得者が少数株式所有者に該当した場合、左図の②から④の手順に従って、原則的評価方式か配当還元方式かの判定を行います。

Ch 1
Ch 2
Ch 3
Ch 4
Ch 5
Ch 6
Ch 7
Ch 8
Ch 9
Ch 10

次の資料により評価方式の判定を行いなさい。

1　課税時期現在におけるX会社の株主の構成（被相続人甲から株式を取得した後）は次のとおりである。（議決権は100株につき1個とする。）

2　被相続人甲から相続又は遺贈により取得した株式

　　A　15,000株　　B　3,000株　　C　1,000株

株　　主	続　　柄	所有株式数	議決権数
乙	甲の配偶者（役員）	28,000株	280個
A	甲 の 長 男（役員）	22,000株	220個
B	甲 の 二 男（役員）	3,000株	30個
C	A の 長 男	1,000株	10個
丙	甲 の 友 人（役員）	18,000株	180個
丙′	丙の配偶者	12,000株	120個
その他	少 数 株 主	16,000株	160個
	（発行済株式数）	100,000株	1,000個

解答

(1)　同族株主の判定

　　乙280個＋A220個＋B30個＋C10個＝540個

　　$\dfrac{540個}{1,000個}＝54\%＞50\%$　　∴　同族株主

(2)　各株式取得者の評価方式の判定

　　A：$\dfrac{220個}{1,000個}＝22\%≧5\%$　　∴　原則的評価方式

　　B：$\dfrac{30個}{1,000個}＝3\%＜5\%$、役員　　∴　原則的評価方式

　　C：$\dfrac{10個}{1,000個}＝1\%＜5\%$、役員でない

　　　　Cを中心に判定　　（本人）10個＋（直系血族乙）280個＋（直系血族A）220個＝510個

　　　　$\dfrac{510個}{1,000個}＝51\%≧25\%$　　∴　中心的な同族株主に該当するため、原則的評価方式

解説

①　まず、同族関係者グループの議決権割合の合計が50%超又は30%以上の基準を満たしているかを確認します。

②　次に、各株式取得者について個別判定をし、5％以上や役員、中心的な同族株主に該当するかを確認します。

設例1－2　　　　　　　　　　　　　　　　　　　　　　　　評価方式の判定

次の資料により評価方式の判定を行いなさい。

1　課税時期現在におけるＹ会社の株主の構成（被相続人甲から株式を取得した後）は次のとおりである。（議決権は1,000株につき１個とする。）

2　被相続人甲から相続又は遺贈により取得した株式

　　Ａ　15,000株　　　Ｂ　3,000株　　　Ｃ　2,000株

株　主	続　柄	所有株式数	議決権数
乙	甲の配偶者（役員）	15,000株	15個
Ａ	甲 の 長 男（役員）	20,000株	20個
Ｂ	甲 の 二 男	3,000株	3個
Ｃ	Ｂ の 長 女	2,000株	2個
丙	甲 の 友 人（役員）	15,000株	15個
丙′	丙の配偶者	5,000株	5個
その他	少 数 株 主	40,000株	40個
	（発行済株式数）	100,000株	100個

解答

(1)　同族株主の判定

　　乙15個＋Ａ20個＋Ｂ３個＋Ｃ２個＝40個

　　$\dfrac{40個}{100個}=40\%\geqq30\%$　∴　同族株主

(2)　各株式取得者の評価方式の判定

　　Ａ：$\dfrac{20個}{100個}=20\%\geqq5\%$　∴　原則的評価方式

　　Ｂ：$\dfrac{3個}{100個}=3\%<5\%$、役員でない

　　　　Ｂを中心に判定：3個＋　15個　＋　2個　＋　20個　＝40個
　　　　　　　　　　　　（本人）　（直系血族乙）（直系血族Ｃ）（兄弟姉妹Ａ）

　　　　$\dfrac{40個}{100個}=40\%\geqq25\%$　∴　中心的な同族株主に該当するため、原則的評価方式

　　Ｃ：$\dfrac{2個}{100個}=2\%<5\%$、役員でない

　　　　Ｃを中心に判定：2個＋　15個　＋　3個　＝20個
　　　　　　　　　　　　（本人）（直系血族乙）（直系血族Ｂ）

　　　　$\dfrac{20個}{100個}=20\%<25\%$　∴　他に中心的な同族株主Ｂがいるため、配当還元方式

解説

中心的な同族株主に該当しない者は、他に中心的な同族株主がいれば配当還元方式となります。

次の資料により評価方式の判定を行いなさい。

1　課税時期現在におけるＺ会社の株主の構成（被相続人甲から株式を取得した後）は次のとおりである。（議決権は1,000株につき1個とする。）

2　被相続人甲から相続又は遺贈により取得した株式

　　　乙　4,000株　　　Ａ　1,000株　　　Ｂ　2,000株

株　主	続　柄	所有株式数	議決権数
乙	甲の配偶者(役員)	9,000株	9個
Ａ	甲の長女	3,000株	3個
Ａ′	Ａ の 夫	5,000株	5個
Ｂ	甲の長男(役員)	4,000株	4個
丙	Ａ′ の 父(役員)	3,000株	3個
丁	甲 の 弟	11,000株	11個
その他	少 数 株 主	65,000株	65個
	(発行済株式数)	100,000株	100個

解答

(1)　同族株主の判定

乙9個＋Ａ3個＋Ａ′5個＋Ｂ4個＋丙3個＋丁11個＝35個

$\dfrac{35個}{100個}＝35\%≧30\%$　　∴　同族株主

(2)　各株式取得者の評価方式の判定

乙：$\dfrac{9個}{100個}＝9\%≧5\%$　　∴　原則的評価方式

Ａ：$\dfrac{3個}{100個}＝3\%＜5\%$、役員でない

　　　　　　　　　　　　(本人)　　(配偶者Ａ′)　　(直系血族乙)　　(兄弟姉妹Ｂ)　(一親等姻族丙)
　　Ａを中心に判定：3個＋　5個　＋　9個　＋　4個　＋　3個　＝24個

$\dfrac{24個}{100個}＝24\%＜25\%$　　∴　他に中心的な同族株主がいないため、原則的評価方式

Ｂ：$\dfrac{4個}{100個}＝4\%＜5\%$、役員　　∴　原則的評価方式

解説

　　中心的な同族株主に該当するか否かの判定では、議決権割合が5％未満であるＡ本人を中心に行うためＡの配偶者や直系血族、兄弟姉妹のほか、一親等の姻族である丙の議決権数も加えます。

　　判定の結果、中心的な同族株主に該当しなかった場合でも、他に中心的な同族株主がいなければ、相対的に支配株主と判断されて原則的評価方式となります。

第1表の1　評価上の株主の判定及び会社規模の判定の明細書

整理番号	

会　社　名	（電話　　　　　　　　）	本店の所在地	
代表者氏名		事業内容	取扱品目及び製造、卸売、小売等の区分 ／ 業種目番号 ／ 取引金額の構成比
課税時期	年　　月　　日		（%）
直前期	自　年　月　日／至　年　月　日		

1．株主及び評価方式の判定

判定要素（課税時期現在の株式等の所有状況）	氏名又は名称	続柄	会社における役職名	㋑ 株式数（株式の種類）	㋺ 議決権数	㋩ 議決権割合（㋺/④）
	納税義務者			株	個	%
	自己株式					
	納税義務者の属する同族関係者グループの議決権の合計数			②	⑤　（②/④）	
	筆頭株主グループの議決権の合計数			③	⑥　（③/④）	
	評価会社の発行済株式又は議決権の総数			①　④	100	

判定基準：納税義務者の属する同族関係者グループの議決権割合（⑤の割合）を基として、区分します。

区分基準	筆頭株主グループの議決権割合（⑥の割合）			株主の区分
	50%超の場合	30%以上50%以下の場合	30%未満の場合	
⑤の割合	50%超	30%以上	15%以上	同族株主等
	50%未満	30%未満	15%未満	同族株主等以外の株主

判定	同族株主等（原則的評価方式等）	同族株主等以外の株主（配当還元方式）

「同族株主等」に該当する納税義務者のうち、議決権割合（㋩の割合）が5%未満の者の評価方式は、「2．少数株式所有者の評価方式の判定」欄により判定します。

2．少数株式所有者の評価方式の判定

判定要素	項　目	判　定　内　容
	氏　名	
㋥	役　員	である〔原則的評価方式等〕・でない（次の㋭へ）
㋭	納税義務者が中心的な同族株主	である〔原則的評価方式等〕・でない（次の㋬へ）
㋬	納税義務者以外に中心的な同族株主（又は株主）	がいる（配当還元方式）・がいない〔原則的評価方式等〕（氏名　　　　　　　　）
判　定		原則的評価方式等　・　配当還元方式

Section 2 会社規模の区分に応じた評価方法

非上場株式の取得者が原則的評価方式となった場合には、評価会社を大会社、中会社、小会社の3つの規模に区分して株価の評価を行います。また、配当還元方式となった場合には、評価会社の会社規模の区分に関係なく株価の評価を行います。

このSectionでは、原則的評価方式による会社規模の区分に応じた具体的評価方法について学習します。

1 会社規模の区分

1. 会社規模の区分（評通178）

規模区分	区分の内容		直前期末の総資産価額（帳簿価額）及び直前期末以前1年間における従業員数に応ずる区分	直前期末以前1年間の取引金額に応ずる区分
大会社	従業員数が70人以上の会社又は右のいずれか1に該当する会社	卸売業	20億円以上（従業員数が35人以下の会社を除く。）	30億円以上
		小売業サービス業	15億円以上（従業員数が35人以下の会社を除く。）	20億円以上
		卸売業・小売業サービス業以外の業種		15億円以上
中会社	従業員数が70人未満の会社で右のいずれか1に該当する会社（大会社に該当する場合を除く。）	卸売業	7,000万円以上（従業員数が5人以下の会社を除く。）	2億円以上30億円未満
		小売業サービス業	4,000万円以上（従業員数が5人以下の会社を除く。）	6,000万円以上20億円未満
		卸売業・小売業サービス業以外の業種	5,000万円以上（従業員数が5人以下の会社を除く。）	8,000万円以上15億円未満
小会社	従業員数が70人未満の会社で右のいずれにも該当する会社	卸売業	7,000万円未満又は従業員数が5人以下	2億円未満
		小売業サービス業	4,000万円未満又は従業員数が5人以下	6,000万円未満
		卸売業・小売業サービス業以外の業種	5,000万円未満又は従業員数が5人以下	8,000万円未満

(注) 総資産価額（帳簿価額によって計算した金額）は、直前期末における評価会社の各資産の帳簿価額の合計額とします。

2 評価方法

1. 原則的評価方式による評価額

評価方式 会社規模	原則的評価方式		配当還元方式
	原　　則	選　　択	
大　会　社	類似業種比準価額	純資産価額	配当還元価額
中　会　社	類似業種比準価額と 純資産価額との併用	―	
小　会　社	純資産価額	類似業種比準価額と 純資産価額との併用	

2. 大会社の株式の評価[*01]（評通179(1)）

【基本算式】

(1)　類似業種比準価額

(2)　１株当たりの純資産価額

(3)　(1)と(2)のいずれか低い方の金額

*01) 類似業種比準価額は、同業他社の株価を基に算定する価額であることから、課税時期における会社の純資産価額を超えていると株価を過大評価していることになるため、純資産価額を評価の限度としています。

3. 中会社の株式の評価（評通179(2)）

【基本算式】

類似業種比準価額[(注1)] × Ｌの割合[(注2)] ＋ １株当たりの純資産価額[(注3)] ×（１－Ｌの割合）

(注1)　大会社としての原則的評価方式により評価した金額

　　①　類似業種比準価額

　　②　１株当たりの純資産価額

　　③　①と②のいずれか低い方の金額

(注2)　中会社としての規模に応じ「0.90」「0.75」「0.60」を用います。

(注3)　株式取得者及び同族関係者の議決権割合が50%以下の場合[*02]

　　　　1株当たりの純資産価額$\times\dfrac{80}{100}$（円未満切捨）

*02) 純資産価額による評価額は完全支配の小会社を想定しているため、支配関係が50%以下の場合には評価額を20%引き下げます。

4. 小会社の株式の評価（評通179(3)）

【基本算式】

(1)　１株当たりの純資産価額[(注1)]

(2)　類似業種比準価額×0.50[(注2)]＋１株当たりの純資産価額[(注1)]×0.50[(注2)]

(3)　(1)と(2)のいずれか低い方の金額

(注1)　株式取得者及び同族関係者の議決権割合が50%以下の場合

　　　　1株当たりの純資産価額$\times\dfrac{80}{100}$（円未満切捨）

(注2)　小会社の場合におけるＬの割合は「0.50」を用います。

　　次の各設問について、原則的評価方式による１株当たりの評価額を求めなさい。なお、株式取得者及び同族関係者の議決権割合は45％である。

（設問１）大会社

　　　⑴　類似業種比準価額　　　　　　550円

　　　⑵　１株当たりの純資産価額　　　980円

（設問２）中会社

　　　⑴　類似業種比準価額　　　　　　550円

　　　⑵　１株当たりの純資産価額　　　980円

　　　⑶　Ｌの割合　0.90

（設問３）小会社

　　　⑴　類似業種比準価額　　　　　　550円

　　　⑵　１株当たりの純資産価額　　　980円

解　答　　　　　　　　　　　　　　　　　　　　　　　　　　　　　　　　　（単位：円）

　　（設問１）

　　　　550＜980　∴　550

　　（設問２）

　　　　$^{※1}550×0.90＋^{※2}784×（1－0.90）＝573$（円未満切捨）

　　　　※１　550＜980　∴　550

　　　　※２　$980×\dfrac{80}{100}＝784$

　　（設問３）

　　　　⑴　$980×\dfrac{80}{100}＝784$

　　　　⑵　$550×0.50＋^{※}784×0.50＝667$

　　　　　　※　$980×\dfrac{80}{100}＝784$

　　　　⑶　⑴＞⑵　∴　667

解　説

　　株式取得者及び同族関係者の議決権割合が50％以下の場合、大会社の評価においては１株当たりの純資産価額に80％は乗じませんが、中会社及び小会社の評価においては1株当たりの純資産価額に80％を乗じることに注意してください。

5．配当還元方式（評通188－2）

【基本算式】

(1) 配当還元価額

(2) 評価会社の区分（大会社・中会社・小会社）に応じた原則的評価額[03]

(3) (1)と(2)のいずれか低い方の金額

[03] 配当還元価額が支配的立場にある株主の原則的評価額を超えてしまうのは不合理であるため、原則的評価額を限度としています。

設例2－2　　　　　　　　　　　　　　　　　　　　　　　　配当還元方式による評価額

次の資料により、小会社の1株当たりの配当還元方式による評価額を求めなさい。

(1) 類似業種比準価額　　　　　　　　　　　　550円

(2) 1株当たりの純資産価額(相続税評価額)　　980円

(3) 配当還元価額　　　　　　　　　　　　　　120円

(4) 株式取得者及び同族関係者の議決権割合は12％

解答　　　　　　　　　　　　　　　　　　　　　　　　　　　　　　（単位：円）

(1) 配当還元価額

　　120

(2) 原則的評価方式

　① $980 \times \dfrac{80}{100} = 784$

　② $550 \times 0.50 + 784 \times 0.50 = 667$

　③ ①＞②　∴　667

(3) (1)＜(2)　∴　120

解説

配当還元価額と原則的評価方式による評価額との比較を忘れないように注意してください。

第1表の2　評価上の株主の判定及び会社規模の判定の明細書（続）　　会社名 _____

左余白（縦書き）：（取引相場のない株式（出資）の評価明細書）

3．会社の規模（Lの割合）の判定

判定要素	項　　目	金　　額	項　　目	人　　数
	直前期末の総資産価額 （帳簿価額）	千円	直前期末以前1年間における従業員数	人 〔従業員数の内訳〕 （継続勤務従業員数）（継続勤務従業員以外の従業員の労働時間の合計時間数） （　　人）＋ （　　　　時間）／1,800時間
	直前期末以前1年間の取引金額	千円		

㋺　直前期末以前1年間における従業員数に応ずる区分	70人以上の会社は、大会社(㋑及び㋩は不要)
	70人未満の会社は、㋑及び㋩により判定

判定基準	㋑　直前期末の総資産価額（帳簿価額）及び直前期末以前1年間における従業員数に応ずる区分				㋩　直前期末以前1年間の取引金額に応ずる区分			会社規模とLの割合（中会社）の区分	
	総 資 産 価 額 （ 帳 簿 価 額 ）			従 業 員 数	取 　引 　金 　額				
	卸 売 業	小売・サービス業	卸売業、小売・サービス業以外		卸 売 業	小売・サービス業	卸売業、小売・サービス業以外		
	20億円以上	15億円以上	15億円以上	35 人 超	30億円以上	20億円以上	15億円以上	大 会 社	
	4億円以上 20億円未満	5億円以上 15億円未満	5億円以上 15億円未満	35 人 超	7億円以上 30億円未満	5億円以上 20億円未満	4億円以上 15億円未満	0．90	中会社
	2億円以上 4億円未満	2億5,000万円以上 5億円未満	2億5,000万円以上 5億円未満	20 人 超 35 人 以下	3億5,000万円以上 7億円未満	2億5,000万円以上 5億円未満	2億円以上 4億円未満	0．75	
	7,000万円以上 2億円未満	4,000万円以上 2億5,000万円未満	5,000万円以上 2億5,000万円未満	5 人 超 20 人 以下	2億円以上 3億5,000万円未満	6,000万円以上 2億5,000万円未満	8,000万円以上 2億円未満	0．60	
	7,000万円未満	4,000万円未満	5,000万円未満	5 人 以下	2億円未満	6,000万円未満	8,000万円未満	小 会 社	

・「会社規模とLの割合（中会社）の区分」欄は、㋑欄の区分（「総資産価額（帳簿価額）」と「従業員数」とのいずれか下位の区分）と㋩欄（取引金額）の区分とのいずれか上位の区分により判定します。

判定	大 会 社	中 会 社			小 会 社	
		L　の　割　合				
		0．90	0．75	0．60		

4．増（減）資の状況その他評価上の参考事項

第3表　一般の評価会社の株式及び株式に関する権利の価額の計算明細書　　会社名

（取引相場のない株式（出資）の評価明細書）

令和六年一月一日以降用

Ch 1
Ch 2
Ch 3
Ch 4
Ch 5
Ch 6
Ch 7
Ch 8
Ch 9
Ch 10

1　原則的評価方式による価額

1株当たりの価額の計算の基となる金額	類似業種比準価額（第4表の㉖、㉗又は㉘の金額）	1株当たりの純資産価額（第5表の⑪の金額）	1株当たりの純資産価額の80％相当額（第5表の⑫の記載がある場合のその金額）
	① 円	② 円	③ 円

1株当たりの価額の計算

区分	1株当たりの価額の算定方法	1株当たりの価額
大会社の株式の価額	次のうちいずれか低い方の金額（②の記載がないときは①の金額） イ　①の金額 ロ　②の金額	④ 円
中会社の株式の価額	（①と②とのいずれか低い方の金額 × L の割合 0.） ＋ （②の金額（③の金額があるときは③の金額）× （1 － L の割合 0.））	⑤ 円
小会社の株式の価額	次のうちいずれか低い方の金額 イ　②の金額（③の金額があるときは③の金額） ロ　（①の金額 × 0.50）＋（イの金額 × 0.50）	⑥ 円

株式の価額の修正

	株式の価額	1株当たりの配当金額	修正後の株式の価額
課税時期において配当期待権の発生している場合	［④、⑤又は⑥の金額］ －	円　銭	⑦ 円

	株式の価額	割当株式1株当たりの払込金額	1株当たりの割当株式数	1株当たりの割当株式数又は交付株式数	修正後の株式の価額
課税時期において株式の割当てを受ける権利、株主となる権利又は株式無償交付期待権の発生している場合	［（⑦があるときは⑦）の④、⑤又は⑥の金額］ ＋ 円 × 株			） ÷ （1株＋　　株）	⑧ 円

2　配当還元方式による価額

1株当たりの資本金等の額、発行済株式数等	直前期末の資本金等の額	直前期末の発行済株式数	直前期末の自己株式数	1株当たりの資本金等の額を50円とした場合の発行済株式数（⑨÷50円）	1株当たりの資本金等の額（⑨÷（⑩－⑪））
	⑨ 千円	⑩ 株	⑪ 株	⑫ 株	⑬ 円

直前期末以前2年間の配当金額	事業年度	⑭ 年配当金額	⑮ 左のうち非経常的な配当金額	⑯ 差引経常的な年配当金額（⑭－⑮）	年平均配当金額
	直前期	千円	千円	⑦ 千円	⑰ （⑦＋⑩）÷2 千円
	直前々期	千円	千円	⑩ 千円	

1株（50円）当たりの年配当金額	年平均配当金額（⑰の金額） ÷ ⑫の株式数 ＝	⑱　　　円　銭	この金額が2円50銭未満の場合は2円50銭とします。

配当還元価額	⑱の金額 / 10% × ⑬の金額 / 50円 ＝	⑲ 円	⑳ 円	⑲の金額が、原則的評価方式により計算した価額を超える場合には、原則的評価方式により計算した価額とします。

3　株式及び株式に関する権利の価額（1. 及び2. に共通）

配当期待権	1株当たりの予想配当金額（　　円　銭） － 源泉徴収されるべき所得税相当額（　　円　銭）	㉑ 円　銭	**4. 株式及び株式に関する権利の価額**（1. 及び2. に共通）
株式の割当てを受ける権利（割当株式1株当たりの価額）	⑧（配当還元方式の場合は⑳）の金額 － 割当株式1株当たりの払込金額 円	㉒ 円	株式の評価額　　　　　円
株主となる権利（割当株式1株当たりの価額）	⑧（配当還元方式の場合は⑳）の金額（課税時期後にその株主となる権利につき払い込むべき金額があるときは、その金額を控除した金額）	㉓ 円	株式に関する権利の評価額　　円（円　銭）
株式無償交付期待権（交付される株式1株当たりの価額）	⑧（配当還元方式の場合は⑳）の金額	㉔ 円	

類似業種比準価額 1

大会社の原則的評価方法は類似業種比準価額によります。この類似業種比準価額は、上場されている同業他社の株価を基に、配当金額、利益金額及び純資産価額の計数化可能な数値を基に算定するのが特徴です。

この Section では、類似業種比準価額の算定における基本フォームを学習します。

1 類似業種比準価額

➤➤問題集 問題4・5

1. 概　要*01)

大会社の原則的評価方式で用いる類似業種比準価額は、事業内容が類似する上場会社の株価に比準させて評価を行います。

そこで、上場株式の株価に比準させる比準要素は、株価構成要素のうち以下の3つが採用されています。

⑴　1株当たりの配当金額

⑵　1株当たりの利益金額

⑶　1株当たりの純資産価額（帳簿価額）

*01) その会社の株価を算定するにあたり様々な要素が考えられますが、非上場株式の評価上採用しているのは、客観的に計数化可能なもののうち、配当・利益・純資産の3要素のみとしています。

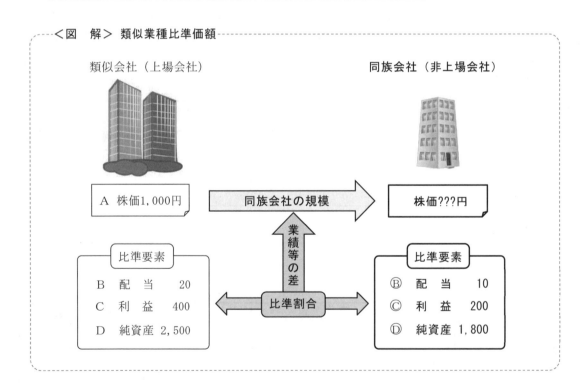

＜図　解＞　類似業種比準価額

2．類似業種比準価額の計算方法（評通180、182、183）

【基本算式】

$$A \times \left[\frac{\dfrac{Ⓑ}{B} + \dfrac{Ⓒ}{C} + \dfrac{Ⓓ}{D}}{3} \right] \times 0.7 = \boxed{} 円 \quad 0銭 \quad （10銭未満切捨）$$

$$\boxed{} 円 \quad 0銭 \times \frac{1株当たりの資本金等の額^{*02}}{50円} = \boxed{} 円$$

*02) 資本金等の額とは税務上の概念で、会計上の「資本金＋資本剰余金」にほぼ相当しますが、株主が出資した拠出資本ということです。

（注）1　A、B、C、D、Ⓑ、Ⓒ、Ⓓの金額

　　　A：類似業種の株価

　　　※　課税時期の属する月以前3か月間の各月の類似業種の株価、類似業種の前年平均株価、課税時期の属する月以前2年間の平均株価のうち最も低い金額

　　　B：課税時期の属する年の類似業種の1株当たりの配当金額

　　　C：課税時期の属する年の類似業種の1株当たりの年利益金額

　　　D：課税時期の属する年の類似業種の1株当たりの純資産価額（帳簿価額）

　　　Ⓑ：評価会社の直前期末以前2年間の1株当たりの平均配当金額※1、2

　　　　※1　特別配当、記念配当等の非経常的な配当を除きます。

　　　　※2　各事業年度中に配当金交付の効力が発生した剰余金の配当（資本金等の額の減少によるものを除きます。）

　　　Ⓒ：評価会社の直前期末以前1年間の1株当たりの利益金額※1、2

　　　　※1　1株当たりの利益金額

　　　　　①　直前期末以前1年間における1株当たりの利益金額

　　　　　②　直前期末以前2年間の1株当たりの平均利益金額

　　　　　③　①と②のいずれか低い金額

　　　　※2　固定資産売却益、保険差益等の非経常的な利益を除きます。

　　　Ⓓ：評価会社の直前期末における1株当たりの純資産価額（帳簿価額）

　　　　※　純資産価額は、資本金等の額及び利益積立金額の合計額です。

　　　　なお、B、C、Dの金額は1株当たりの資本金等の額を50円とした場合の金額として計算されていますので、評価会社の1株当たりの資本金等の額が50円以外の金額であるときは、Ⓑ、Ⓒ、Ⓓの金額を1株当たりの資本金等の額が50円とした場合の金額に修正し、最後に評価会社の資本金等の額に相当する金額に戻します。

（注）2　端数処理

　　　①　Ⓑは10銭未満切捨、Ⓒ及びⒹは円未満切捨です。

　　　②　$\dfrac{Ⓑ}{B}$、$\dfrac{Ⓒ}{C}$、$\dfrac{Ⓓ}{D}$、$\dfrac{\dfrac{Ⓑ}{B} + \dfrac{Ⓒ}{C} + \dfrac{Ⓓ}{D}}{3}$ の比準割合の計算は、すべて小数点以下2位未満切捨です。

（注）3　上記算式中の「0.7」は大会社の斟酌率であり、中会社の株式を評価する場合には「0.6」、小会社の株式を評価する場合には「0.5」とします。

次の資料により、Ｘ社の類似業種比準価額を求めなさい。（課税時期は４月20日）

Ｘ社株式　　50,000株（資本金等の額５千万円　発行済株式数1,000,000株　大会社）

この株式は非上場株式であり、評価に必要な資料は次のとおりである。

⑴　類似業種の株価等

①　株　価

４月：680円　３月：650円　２月：620円　前年平均：585円　４月以前２年間の平均：590円

②　類似業種の１株当たりの年配当金額　　　　　　　　　　　2.5円

③　類似業種の１株当たりの年利益金額　　　　　　　　　　　28円

④　類似業種の１株当たりの純資産価額　　　　　　　　　　　185円

⑵　Ｘ社の１株当たりの比準要素の金額は、次のとおりである。

直前期末における剰余金の配当金額　　　　　　　　　　　4.5円

直前々期末における剰余金の配当金額　　　　　　　　　　4.0円

直前期末以前１年間における年間の利益金額　　　　　　　48円

直前々期末以前１年間における年間の利益金額　　　　　　39円

直前期末における純資産価額　　　　　　　　　　　　　　385円

解答

（単位：円）

⑴　１株当たりの資本金等の額

$$\frac{50,000,000}{1,000,000株}=50$$

⑵　類似業種比準価額

$$^{A}585\times\left(\frac{\dfrac{^{B}4.2}{2.5}+\dfrac{^{C}43}{28}+\dfrac{^{D}385}{185}}{3}\right)\times0.7=720.7（10銭未満切捨）$$

Ａ　680、650、620、585、590　∴　585

Ⓑ　$\dfrac{4.5+4.0}{2}=4.2$（10銭未満切捨）

Ⓒ　①　48

②　$\dfrac{48+39}{2}=43$（円未満切捨）

③　①＞②　∴　43

Ⓓ　385

$$720.7\times\frac{50}{50}=720（円未満切捨）$$

解説

①　Ａ、Ⓑ、Ⓒ、Ⓓといった記号は評価明細書にも記載されているものです。したがって、これらの記号を用いて計算過程を書くと印象の良い答案になると考えられます。

②　Ⓑは10銭未満切捨、Ⓒ及びⓄは円未満切捨、比準割合の計算はすべて小数点以下２位未満切捨です。

なお、計算過程の（10銭未満切捨）や（円未満切捨）の表記については、「720.72→720.7」のように端数処理を示しても構いません。

設例3-2　　　　　　　　　　　　　　　　　　　　　　　　　　　　　　　類似業種比準価額

次の資料により、Y社の類似業種比準価額を求めなさい。

1　課税時期　　　　　　　　　4月14日

2　Y社(中会社)の業種　　　建設用金属製品製造業

3　資本金等の額　　　　　　100,000,000円

4　発行済株式数　　　　　　200,000株

5　類似業種の株価　　　　　4月：156円　3月：152円　2月：145円　前年平均：118円

　　　　　　　　　　　　　　4月以前2年間の平均：105円

6　建設用金属製品製造業の各比準要素

　⑴　配当金額　　　　　　8.5円

　⑵　利益金額　　　　　　52円

　⑶　純資産価額　　　　　488円

7　Y社の比準要素の金額の計算の基となる金額

　⑴　直前期末における剰余金の配当金額　　　　　　　　　　　　23,000,000円

　⑵　直前々期末における剰余金の配当金額　　　　　　　　　　22,000,000円

　⑶　直前期末以前1年間における年間の利益金額　　　　　　145,000,000円

　⑷　直前々期末以前1年間における年間の利益金額　　　　　134,000,000円

　⑸　直前期末における純資産価額　　　　　　　　　　　　1,350,000,000円

解答　　　　　　　　　　　　　　　　　　　　　　　　　　　　　　　　　　　（単位：円）

⑴　1株当たりの資本金等の額等

$$\frac{100,000,000}{200,000株}=500、\quad \frac{100,000,000}{50}=2,000,000株$$

⑵　類似業種比準価額

$$^A105\times\left(\frac{\dfrac{^{\text{Ⓑ}}11.2}{8.5}+\dfrac{^{\text{Ⓒ}}69}{52}+\dfrac{^{\text{Ⓓ}}675}{488}}{3}\right)\times0.6=83.79\ \rightarrow\ 83.7$$

A　156、152、145、118、105　∴　105

Ⓑ　$\dfrac{(23,000,000+22,000,000)\div2}{2,000,000株}=11.25\ \rightarrow\ 11.2$

Ⓒ①　$\dfrac{145,000,000}{2,000,000株}=72.5\ \rightarrow\ 72$

　②　$\dfrac{(145,000,000+134,000,000)\div2}{2,000,000株}=69.75\ \rightarrow\ 69$

　③　①＞②　∴　69

Ⓓ　$\dfrac{1,350,000,000}{2,000,000株}=675$

$$83.7\times\frac{500}{50}=837$$

解説

　評価会社の配当金額や利益金額、純資産価額が総額で与えられている場合には、資本金等の額を50円で換算した発行済株式数を用いて1株当たりの各比準要素の金額ⒷⒸⒹを求めます。

3．類似業種比準価額計算上の業種目（評通181、181-2）

(1) 業種目の分類[*03]

評価会社の事業が該当する分類の業種目とします。

【図　解】

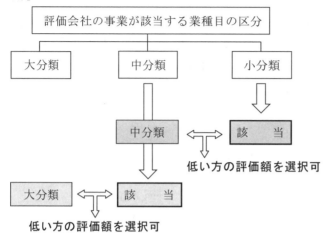

大分類　中分類　小分類

中分類　⟷　該　当

低い方の評価額を選択可

大分類　⟷　該　当

低い方の評価額を選択可

(2) 業種目が２以上ある場合[*04]

評価会社の事業が該当する業種目は「直前期末以前１年間における取引金額」に基づいて判定した業種目とします。なお、その取引金額のうちに２以上の業種目に係る取引金額が含まれている場合には、取引金額のうちに占める業種目別の取引金額の割合が**50%を超える業種目**とします。

次の資料により、類似業種比準価額を求めなさい。

1　課税時期　　　　　4月10日

2　評価会社　　　　　大会社（1株当たりの資本金等の額1,000円）

3　業　　種　　　　　パン製造業65%、不動産賃貸業35%

4　評価会社における資本金等の額50円ベースの発行済株式1株当たりの配当金額等

　⑴　配当金額　　　　　　6.0円

　⑵　利益金額　　　　　　38円

　⑶　純資産価額　　　　　485円

(単位：円)

大　　　　分　　　　類			B 配当金額	C 利益金額	D 簿価純資産価額	A（株価）				
	中　　　分　　　　類					4月以前2年平均	前年平均	2月	3月	4月
		小　　分　　類								
製　　　　　　　造　　　　　　　業			3.5	17	222	185	168	171	174	183
	食　料　品　製　造　業		3.9	21	264	223	220	224	225	229
		パ　ン　・　菓　子　製　造　業	8.2	48	619	571	575	578	585	588
不　動　産　業，物　品　賃　貸　業			3.4	30	235	298	297	295	297	302
	不　動　産　賃　貸　業　・　管　理　業		2.4	17	189	200	189	186	188	192

解答

(単位：円)

　⑴　小分類（パン・菓子製造業）

$$^A571\times\left(\dfrac{\dfrac{6.0}{8.2}+\dfrac{38}{48}+\dfrac{485}{619}}{3}\right)\times0.7=303.772\ \rightarrow\ 303.7$$

　　A　588、585、578、575、571　∴　571

　⑵　中分類（食料品製造業）

$$^A220\times\left(\dfrac{\dfrac{6.0}{3.9}+\dfrac{38}{21}+\dfrac{485}{264}}{3}\right)\times0.7=264.88\ \rightarrow\ 264.8$$

　　A　229、225、224、220、223　∴　220

　⑶　⑴＞⑵　∴　264.8

$$264.8\times\dfrac{1,000}{50}=5,296$$

解説

①　複数の業種を行う会社の業種目は50%超の業種目とします。

②　類似業種比準価額は2つの分類により計算した金額を比較し、いずれか低い方の金額とします。

業種目別株価等一覧表(令和6年3・4月分)

業　種　目 大　分　類 　中　分　類 　　小　分　類	番号	B 配当金額	C 利益金額	D 簿価純資産価額	A（株価）　3月分 ① 課税時期の属する月以前2年間の平均株価	② 前年平均株価	③ 課税時期の属する月の前々月	④ 課税時期の属する月の前月	⑤ 課税時期の属する月	A（株価）　4月分 ① 課税時期の属する月以前2年間の平均株価	② 前年平均株価	③ 課税時期の属する月の前々月	④ 課税時期の属する月の前月	⑤ 課税時期の属する月
小　売　業	79	6.8	43	310	446	456	486	490	505	450	456	490	505	495
各種商品小売業	80	3.5	26	288	273	280	289	295	297	275	280	295	297	305
織物・衣服・身の回り品小売業	81	9.5	66	351	702	738	739	743	763	707	738	743	763	731
飲食料品小売業	82	5.5	33	286	353	355	408	427	440	357	355	427	440	437
機械器具小売業	83	8.5	54	337	339	339	348	348	354	341	339	348	354	360
その他の小売業	84	7.5	45	345	531	540	602	601	625	536	540	601	625	610
医薬品・化粧品小売業	85	7.6	58	395	745	756	830	815	838	750	756	815	838	796
その他の小売業	86	7.5	40	329	448	458	514	516	540	454	458	516	540	536
無店舗小売業	87	4.0	30	191	346	356	334	335	344	345	356	335	344	329

（令和六年一月一日以降用）

（取引相場のない株式（出資）の評価明細書）

1. 1株当たりの資本金等の額等の計算

	直前期末の資本金等の額	直前期末の発行済株式数	直前期末の自己株式数	1株当たりの資本金等の額（①÷（②−③））	1株当たりの資本金等の額を50円とした場合の発行済株式数（①÷50円）
1.1株当たりの資本金等の額等の計算	① 千円	② 株	③ 株	④ 円	⑤ 株

2. 比準要素等の金額の計算

1株(50円)当たりの年配当金額

直前期末以前2（3）年間の年平均配当金額

事業年度	⑥ 年配当金額	⑦ 左のうち非経常的な配当金額	⑧ 差引経常的な年配当金額（⑥−⑦）	年平均配当金額	比準要素数1の会社・比準要素数0の会社の判定要素の金額
直前期	千円	千円	㋑ 千円	⑨（㋑+㋺）÷2 千円	$\frac{⑨}{⑤}$ ⑧₁ 円 銭 0
直前々期	千円	千円	㋺ 千円		$\frac{⑩}{⑤}$ ⑧₂ 円 銭 0
直前々期の前期	千円	千円	㋩ 千円	⑩（㋺+㋩）÷2 千円	1株(50円)当たりの年配当金額（⑧₁の金額） ⑧ 円 銭

1株(50円)当たりの年利益金額

直前期末以前2（3）年間の利益金額

事業年度	⑪法人税の課税所得金額	⑫非経常的な利益金額	⑬受取配当等の益金不算入額	⑭左の所得税額	⑮損金算入した繰越欠損金の控除額	⑯差引利益金額（⑪−⑫+⑬−⑭+⑮）	比準要素数1の会社・比準要素数0の会社の判定要素の金額
直前期	千円	千円	千円	千円	㊁ 千円	㊁ 千円	$\frac{㊁}{⑤}$ 又は $\frac{㊁+㊋}{2}$÷2 ©₁ 円
直前々期	千円	千円	千円	千円	㊋ 千円	㊋ 千円	$\frac{㊋}{⑤}$ 又は $\frac{㊋+㊌}{2}$÷2 ©₂ 円
直前々期の前期	千円	千円	千円	千円	㊌ 千円	㊌ 千円	1株(50円)当たりの年利益金額 [$\frac{㊁}{⑤}$ 又は $\frac{㊁+㊋}{2}$÷2 の金額] © 円

1株(50円)当たりの純資産価額

直前期末（直前々期末）の純資産価額

事業年度	⑰ 資本金等の額	⑱ 利益積立金額	⑲ 純資産価額（⑰+⑱）	比準要素数1の会社・比準要素数0の会社の判定要素の金額
直前期	千円	千円	㋑ 千円	$\frac{㋑}{⑤}$ ⑩₁ 円
直前々期	千円	千円	㋺ 千円	$\frac{㋺}{⑤}$ ⑩₂ 円
				1株(50円)当たりの純資産価額（⑩₁の金額） ⑩ 円

3. 類似業種比準価額の計算

1株(50円)当たりの比準価額の計算

類似業種と業種目番号		区分	1株(50円)当たりの年配当金額	1株(50円)当たりの年利益金額	1株(50円)当たりの純資産価額	1株(50円)当たりの比準価額
類似業種の株価	課税時期の属する月 月 ㋺ 円	比準割合の計算	評価会社	⑧ 円 銭 0	© 円	⑩ 円	⑳×㉑×0.7 ※
	課税時期の属する月の前月 月 ㋥ 円		類似業種 B	B 円 銭 0	C	D	※ [中会社は0.6 小会社は0.5 とします。]
	課税時期の属する月の前々月 月 ㋬ 円		要素別比準割合	$\frac{⑧}{B}$ ・	$\frac{©}{C}$ ・	$\frac{⑩}{D}$ ・	
	前年平均株価 ㋣ 円	比準割合の計算	比準割合	$\frac{\frac{⑧}{B}+\frac{©}{C}+\frac{⑩}{D}}{3}$	㉑ = ・		㉒ 円 銭 0
	課税時期の属する月以前2年間の平均株価 ㋠ 円						
	A（㋺、㋥、㋬、㋣及び㋠のうち最も低いもの） ⑳ 円						

類似業種と業種目番号		区分	1株(50円)当たりの年配当金額	1株(50円)当たりの年利益金額	1株(50円)当たりの純資産価額	1株(50円)当たりの比準価額
類似業種の株価	課税時期の属する月 月 ㋺ 円	比準割合の計算	評価会社	⑧ 円 銭 0	© 円	⑩ 円	㉓×㉔×0.7 ※
	課税時期の属する月の前月 月 ㋥ 円		類似業種 B	B 円 銭 0	C	D	※ [中会社は0.6 小会社は0.5 とします。]
	課税時期の属する月の前々月 月 ㋬ 円		要素別比準割合	$\frac{⑧}{B}$ ・	$\frac{©}{C}$ ・	$\frac{⑩}{D}$ ・	
	前年平均株価 ㋣ 円	比準割合の計算	比準割合	$\frac{\frac{⑧}{B}+\frac{©}{C}+\frac{⑩}{D}}{3}$	㉔ = ・		㉕ 円 銭 0
	課税時期の属する月以前2年間の平均株価 ㋠ 円						
	A（㋺、㋥、㋬、㋣及び㋠のうち最も低いもの） ㉓ 円						

1株当たりの比準価額	比準価額（㉒と㉕とのいずれか低い方の金額） × $\frac{④の金額}{50円}$	㉖ 円

比準価額の修正

直前期末の翌日から課税時期までの間に配当金交付の効力が発生した場合	比準価額（㉖の金額） − 1株当たりの配当金額 円 銭	修正比準価額 ㉗ 円
直前期末の翌日から課税時期までの間に株式の割当て等の効力が発生した場合	比準価額[㉖（㉗がある ときは㉗）の金額] + 割当株式1株当たりの払込金額 円 銭 × 1株当たりの割当株式数 株 ÷（1株 + 1株当たりの割当株式数又は交付株式数 株）	修正比準価額 ㉘ 円

純資産価額 1

小会社の原則的な評価は純資産価額によります。この純資産価額は、課税時期において
会社を解散した場合に株主に分配する清算金を評価の拠り所にするというものです。
この Section では、純資産価額の算定における基本フォームを学習します。

1　1株当たりの純資産価額（相続税評価額）

➢➢問題集 問題6・7

1．概　要

　純資産価額[01]は、課税時期において会社を清算したとした場合に
おける株価を求めて評価を行います。

　具体的には、まず、課税時期において評価会社が所有する各資産を
相続税評価額により評価した価額の合計額（資産総額）から課税時期
における負債金額の合計額（負債総額）を差し引いて、純資産価額を
算定します（①）。次に、その純資産価額から帳簿価額による純資産
価額を差し引くことで評価差額（含み益）を求め、その含み益に37％
を乗じた金額（法人税等相当額）を算定します（②）。

　最後に①から②を控除して税引き後の純資産価額を計算し、課税
時期における実際の発行済株式数で除して1株当たりの純資産価額
（相続税評価額）を求めます。

*01) 純資産価額は、課税時期に
会社を清算したとした場合
における株価を時価で算定
するという考え方です。こ
の場合、資産の含み益に対
する課税として37％の法人
税等がかかってしまうため
税引き後の金額に基づいて
評価します。

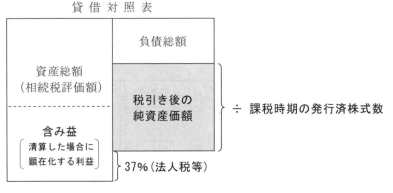

＜図　解＞1株当たりの純資産価額（相続税評価額）

2．純資産価額の計算方法（評通185、186−2）

【基本算式】[*02]

(1) 相続税評価額による純資産価額

　　相続税評価額の資産総額−負債総額

(2) 帳簿価額による純資産価額

　　帳簿価額の資産総額−負債総額

(3) 評価差額に対する法人税等相当額

　　((1)−(2))×37%

(4) 1株当たりの純資産価額

$$\frac{(1)−(3)}{課税時期現在の発行済株式数}$$

(5) 株式の取得者及び同族関係者の議決権割合が 50%以下の場合[*03]

$$(4)×\frac{80}{100}$$

*02) 端数処理について、各資産及び負債は千円未満切捨、(3)は千円未満切捨、(4)(5)は円未満切捨です。

*03) 中会社及び小会社の算式中にある1株当たりの純資産価額に100分の80を乗じる取扱いのことです。
☞10-11ページ

【算式のイメージ図】

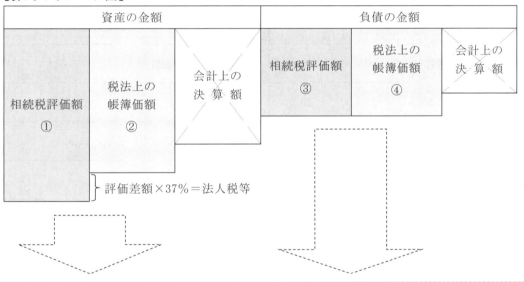

- ・財産性のない資産については、①及び②に計上しない。（前払費用、繰延資産など）
- ・財産性のある資産については、①及び②に計上する。（未収保険金など）

- ・債務性のない負債については、③及び④に計上しない。（貸倒引当金など）
- ・債務性のある負債については、③及び④に計上する。（未払退職金など）

〔資産の金額についての科目別計算〕　(単位：千円)

科　目	相続税評価額	税法上の帳簿価額	会計上の決算額	計算上の留意点
預金	12,085	12,000	12,000	(相)元本に既経過利子85(源泉15控除後)を加算
受取手形	9,500	10,000	10,000	(相)決済日まで６月を超える場合には割引料を控除し、課税時期の回収不能額500を控除
売掛金	24,000	26,000	26,000	(相)課税時期の回収不能額2,000を控除
貸付金	5,040	8,000	8,000	(相)元本に既経過利子40を加算し、課税時期の回収不能額3,000を控除
仮払金(財産)	600	600	600	(相)(帳)資産購入の仮払いは財産性があるため計上
仮払金(費用)	0	0	250	(相)(帳)交通費の仮払いは費用のため０
前払費用	0	0	100	(相)(帳)同上
商品	34,000	35,000	35,000	(相)たな卸商品としての相続税評価額
建物	32,000	50,000	50,000	(相)固定資産税評価額
課税時期前３年以内取得の建物	20,000	20,000	20,000	(相)通常の取引価額
建物附属設備	0	400	400	(相)建物と一体となっているものは０
車両運搬具	1,000	1,200	1,200	(相)売買実例価額等
土地	40,000	50,000	50,000	(相)路線価方式・倍率方式による評価額
課税時期前３年以内取得の土地	25,000	25,000	25,000	(相)通常の取引価額
借地権(権利金あり)	6,000	5,000	5,000	(相)自用地価額×借地権割合 (帳)権利金として支払った金額
借地権(権利金なし)	2,000	0	0	(相)自用地価額×20% (帳)権利金の支払いがないため０
投資有価証券	12,000	8,500	8,500	(相)上場株式の相続税評価額
法人税等相当額控除不適用株式	25,000	20,000	20,000	(相)非上場株式の相続税評価額※ ※評価差額に対する法人税等相当額は控除不可
未収保険金(保険金請求権)	30,000	30,000	0	(相)(帳)被相続人の死亡により評価会社が受取る未収保険金
保険積立金	0	0	5,000	(相)(帳)上記保険金の積立金(保険料)は０
繰延資産	0	0	700	(相)(帳)財産性がないため０

〔負債の金額についての科目別計算〕

（単位：千円）

科　目	相続税評価額	税法上の帳簿価額	会計上の決算額	計算上の留意点
支払手形	8,000	8,000	8,000	－
買掛金	15,000	15,000	15,000	－
借入金	10,000	10,000	10,000	－
貸倒引当金	0	0	1,000	相帳債務性がないため0
賞与引当金	0	0	1,500	相帳同上
退職給付引当金	0	0	2,000	相帳同上
未払法人税	800	800	0	相帳課税時期の属する事業年度開始日から課税時期までの期間に対応する未払税額
未払住民税	250	250	0	相帳同上
未払事業税	60	60	0	相帳同上
未払消費税	500	500	0	相帳同上
未払固定資産税	1,200	1,200	0	相帳課税時期以前に賦課期日のあった固定資産税・都市計画税のうち未払税額
未払退職金	20,000	20,000	0	相帳被相続人の死亡退職金・弔慰金で相続人等が課税される退職手当金等の額
保険差益の未払法人税等	1,850	1,850	0	未収保険金　保険積立金　未払退職金 (30,000 － 5,000 － 20,000)×37％＝1,850

〔注〕資産及び負債の各科目については千円未満を切り捨てます。

【未払退職金の負債計上】

　1株当たりの純資産価額(相続税評価額)は、課税時期における各資産及び各負債の金額によって計算しますが、その負債は課税時期において現に存するもので確実な債務に限られています。(個人の債務控除と同じ考え方によります。)

　しかし、退職手当金等については課税時期において現に存しないものであっても、負債として取り扱うことにしています。これは、退職手当金等が「みなし取得財産」として相続税の課税対象となっているため、同じく相続税の課税対象となる非上場株式を純資産価額で評価する場合に、これを負債として控除しないとすると相続税の二重課税が生じることによるためです。なお、評価会社からの弔慰金についても退職手当金等として課税される部分の金額は、負債として取り扱うこととしています。

次の資料により、Ｚ社株式の１株当たりの純資産価額を求めなさい。

1　Ｚ社株式　発行済株式数　　1,000,000株（株式取得者及びその同族関係者の議決権割合50％）

2　課税時期におけるＺ社の資産及び負債の状況は次のとおりである。

区　　　分	資産総額	負債総額
相続税評価額	955,888,000円	155,000,000円
帳　簿　価　額	525,550,000円	155,000,000円

解答　　　　　　　　　　　　　　　　　　　　　　　　　　　　　　　　　　　　（単位：円）

(1)　相続税評価額による純資産価額

　　$955,888,000 - 155,000,000 = 800,888,000$

(2)　帳簿価額による純資産価額

　　$525,550,000 - 155,000,000 = 370,550,000$

(3)　評価差額に対する法人税等相当額

　　$((1)-(2)) \times 37\% = 159,225,000$（千円未満切捨）

(4)　１株当たりの純資産価額

　　$\dfrac{(1)-(3)}{1,000,000株} = 641$（円未満切捨）

(5)　株式取得者及び同族関係者の議決権割合が50％以下の場合

　　$641 \times \dfrac{80}{100} = 512$（円未満切捨）

解説

　　取得者及び同族関係者の議決権割合が50％以下の場合には$\dfrac{80}{100}$を乗じ忘れないようにしましょう。

第5表　1株当たりの純資産価額（相続税評価額）の計算明細書　　会社名＿＿＿＿＿＿＿＿＿＿

（取引相場のない株式（出資）の評価明細書）

（令和六年一月一日以降用）

1. 資産及び負債の金額（課税時期現在）

資　産　の　部				負　債　の　部			
科　　目	相続税評価額	帳簿価額	備考	科　　目	相続税評価額	帳簿価額	備考
	千円	千円			千円	千円	
合　　計	①	②		合　　計	③	④	
株式等の価額の合計額	㋑	㋺					
土地等の価額の合計額	㋩						
現物出資等受入れ資産の価額の合計額	㊁	㋭					

2. 評価差額に対する法人税額等相当額の計算

相続税評価額による純資産価額　　（①－③）	⑤	千円
帳簿価額による純資産価額　　（（②＋㊁－㋭－④）、マイナスの場合は0）	⑥	千円
評価差額に相当する金額　　（⑤－⑥、マイナスの場合は0）	⑦	千円
評価差額に対する法人税額等相当額　　（⑦×37%）	⑧	千円

3. 1株当たりの純資産価額の計算

課税時期現在の純資産価額（相続税評価額）　　（⑤－⑧）	⑨	千円
課税時期現在の発行済株式数　　（（第1表の1の①）－自己株式数）	⑩	株
課税時期現在の1株当たりの純資産価額（相続税評価額）　　（⑨÷⑩）	⑪	円
同族株主等の議決権割合（第1表の1の⑤の割合）が50%以下の場合　　（⑪×80%）	⑫	円

配当還元価額

配当還元方式は、簡便的に評価が行えるよう配当金額を基に評価します。

この Section では、配当還元価額の算定における基本フォームを学習します。

1 配当還元方式

▶▶問題集 問題8

1. 概　要

　配当還元方式は、同族株主以外の株主が取得した株式の評価方式であり、同族株主以外の者の株式の所有目的である配当からその元本である株式の価額を求めます。*01)

<＜図　解＞>

〔配当還元方式〕

　　100,000千円　×　10%　＝　10,000千円 ┐
　　　株価　　　　　利回り　　　　配当　　　　│　逆算して株価算定

　　┌─────────────────────────────────┘
　　└→　10,000千円　÷　10%　＝　100,000千円
　　　　　配当　　　　　還元率　　　　株価

*01) 配当還元方式は、その株式の所有によって受け取った一年間の配当金額を一定の利率(10%)で還元して元本である株式の価額を評価する方法です。配当還元方式によって算出される株式の評価額を配当還元価額といいます。

2. 配当還元価額の計算方法（評通188−2）

【基本算式】

$$\frac{\text{その株式に係る年配当金額}^{※}}{10\%} \times \frac{\text{1株当たりの資本金等の額}}{50\,\text{円}} = （\text{円未満切捨}）$$

$$※ \quad \text{年配当金額}^{(注)1} = \frac{\text{直前期末以前2年間における配当金額の合計額}^{(注)2} \div 2}{\text{直前期末の発行済株式数}^{(注)3}} （\text{銭未満切捨}）^{*02}$$

(注)1　年配当金額が2円50銭未満及び無配の場合は、2円50銭とします。

　　2　各事業年度中に配当金交付の効力が発生した剰余金の配当(資本金等の額の減少によるものを除きます。) なお、特別配当、記念配当等の非経常的な配当を除きます。

　　3　1株当たりの資本金等の額が50円以外の金額の評価会社の場合は、$\dfrac{\text{直前期末における資本金等の額}}{50\,\text{円}}$ により計算した株数とします。

*02) 類似業種比準価額における Ⓑ の金額と同じ算式ですが、端数処理が異なります。

設例5-1　　　　　　　　　　　　　　　　　　　　　　　　　　　　配当還元価額

次の資料により1株当たりの配当還元価額を求めなさい。

1　資本金等の額　　　　　　　　　　　100,000,000円

2　発行済株式数　　　　　　　　　　　200,000株

3　直前事業年度の配当金額　　　　　6,000,000円（うち特別配当金額1,000,000円）

4　直前々事業年度の配当金額　　　　4,000,000円

解答

（単位：円）

(1)　1株当たりの資本金等の額等

$$\frac{100,000,000}{200,000株}=500、\quad \frac{100,000,000}{50}=2,000,000株$$

(2)　1株当たりの配当金額

$$\frac{(6,000,000-1,000,000+4,000,000)\div2}{2,000,000株}=2.25<2.5\quad \therefore\quad 2.5$$

(3)　1株当たりの配当還元価額

$$\frac{2.5}{10\%}\times\frac{500}{50}=250$$

解説

　配当金額からは、特別配当などの非経常的な配当金額を除いて計算します。また、2円50銭との比較は(2)の金額と行いますので、(3)の金額と比較を行わないように注意しましょう。

付表1　奥行価格補正率表

地区区分 奥行距離(m)	ビル街地区	高度商業地区	繁華街地区	普通商業・併用住宅地区	普通住宅地区	中小工場地区	大工場地区
4未満	0.80	0.90	0.90	0.90	0.90	0.85	0.85
4以上 6未満		0.92	0.92	0.92	0.92	0.90	0.90
6 〃 8 〃	0.84	0.94	0.95	0.95	0.95	0.93	0.93
8 〃 10 〃	0.88	0.96	0.97	0.97	0.97	0.95	0.95
10 〃 12 〃	0.90	0.98	0.99	0.99	1.00	0.96	0.96
12 〃 14 〃	0.91	0.99	1.00	1.00		0.97	0.97
14 〃 16 〃	0.92	1.00				0.98	0.98
16 〃 20 〃	0.93					0.99	0.99
20 〃 24 〃	0.94					1.00	1.00
24 〃 28 〃	0.95				0.97		
28 〃 32 〃	0.96		0.98		0.95		
32 〃 36 〃	0.97		0.96	0.97	0.93		
36 〃 40 〃	0.98		0.94	0.95	0.92		
40 〃 44 〃	0.99		0.92	0.93	0.91		
44 〃 48 〃	1.00		0.90	0.91	0.90		
48 〃 52 〃		0.99	0.88	0.89	0.89		
52 〃 56 〃		0.98	0.87	0.88	0.88		
56 〃 60 〃		0.97	0.86	0.87	0.87		
60 〃 64 〃		0.96	0.85	0.86	0.86	0.99	
64 〃 68 〃		0.95	0.84	0.85	0.85	0.98	
68 〃 72 〃		0.94	0.83	0.84	0.84	0.97	
72 〃 76 〃		0.93	0.82	0.83	0.83	0.96	
76 〃 80 〃		0.92	0.81	0.82			
80 〃 84 〃		0.90	0.80	0.81	0.82	0.93	
84 〃 88 〃		0.88		0.80			
88 〃 92 〃		0.86			0.81	0.90	
92 〃 96 〃	0.99	0.84					
96 〃 100 〃	0.97	0.82					
100 〃	0.95	0.80			0.80		

付表2　側方路線影響加算率表

地区区分	加算率	
	角地の場合	準角地の場合
ビル街地区	0.07	0.03
高度商業地区、繁華街地区	0.10	0.05
普通商業・併用住宅地区	0.08	0.04
普通住宅地区、中小工場地区	0.03	0.02
大工場地区	0.02	0.01

付表3　二方路線影響加算率表

地区区分	加算率
ビル街地区	0.03
高度商業地区 繁華街地区	0.07
普通商業・併用住宅地区	0.05
普通住宅地区、中小工場地区 大工場地区	0.02

付表6　間口狭小補正率表

間口距離(m)	ビル街地区	高度商業地区	繁華街地区	普通商業・併用住宅地区	普通住宅地区	中小工場地区	大工場地区
4未満	—	0.85	0.90	0.90	0.90	0.80	0.80
4以上　6未満	—	0.94	1.00	0.97	0.94	0.85	0.85
6 〃　8 〃	—	0.97		1.00	0.97	0.90	0.90
8 〃　10 〃	0.95	1.00			1.00	0.95	0.95
10 〃　16 〃	0.97					1.00	0.97
16 〃　22 〃	0.98						0.98
22 〃　28 〃	0.99						0.99
28 〃	1.00						1.00

付表7　奥行長大補正率表

奥行距離／間口距離（地区区分）	ビル街地区	高度商業地区 繁華街地区 普通商業・併用住宅地区	普通住宅地区	中小工場地区	大工場地区
2以上　　3未満	1.00	1.00	0.98	1.00	1.00
3 〃 　　4 〃		0.99	0.96	0.99	
4 〃 　　5 〃		0.98	0.94	0.98	
5 〃 　　6 〃		0.96	0.92	0.96	
6 〃 　　7 〃		0.94	0.90	0.94	
7 〃 　　8 〃		0.92		0.92	
8 〃		0.90		0.90	

相続税の速算表 （平成27年1月1日以降適用）

各法定相続人の取得金額	税率	控除額	各法定相続人の取得金額	税率	控除額
10,000千円以下	10%	—	200,000千円以下	40%	17,000千円
30,000千円以下	15	500千円	300,000千円以下	45	27,000千円
50,000千円以下	20	2,000千円	600,000千円以下	50	42,000千円
100,000千円以下	30	7,000千円	600,000千円超	55	72,000千円

贈与税の速算表（一般税率） （平成27年1月1日以降適用）

基礎控除後の課税価格	税率	控除額	基礎控除後の課税価格	税率	控除額
2,000千円以下	10%	—	10,000千円以下	40%	1,250千円
3,000千円以下	15	100千円	15,000千円以下	45	1,750千円
4,000千円以下	20	250千円	30,000千円以下	50	2,500千円
6,000千円以下	30	650千円	30,000千円超	55	4,000千円

贈与税の速算表（特例税率） （平成27年1月1日以降適用）

基礎控除後の課税価格	税率	控除額	基礎控除後の課税価格	税率	控除額
2,000千円以下	10%	—	15,000千円以下	40%	1,900千円
4,000千円以下	15	100千円	30,000千円以下	45	2,650千円
6,000千円以下	20	300千円	45,000千円以下	50	4,150千円
10,000千円以下	30	900千円	45,000千円超	55	6,400千円

なお、本書は令和6年4月1日現在施行されている法令等に基づき作成しております。

2025年度版　ネットスクール出版

税理士試験教材のラインナップ

● 税理士試験に合格するためのメイン教材

税理士試験教科書・問題集・理論集

ネットスクール税理士 WEB 講座の講師陣が自ら「確実に合格できる教材づくり」をコンセプトに執筆・監修した教材です。

税理士試験の合格に必要な内容を効率よく、かつ、挫折しないように工夫した『教科書』、計算力を身に付ける『問題集』、理論問題対策の『理論集』から構成されており、どの科目の教材も、豊富な図解と受験生がつまずきやすいポイントを押さえた、ネットスクール税理士 WEB 講座でも使用している教材です。

簿記論・財務諸表論の教材

税理士試験教科書	簿記論・財務諸表論I	基礎導入編【2025年度版】	3,630円（税込）	好評発売中
税理士試験問題集	簿記論・財務諸表論I	基礎導入編【2025年度版】	3,300円（税込）	好評発売中
税理士試験教科書	簿記論・財務諸表論II	基礎完成編【2025年度版】	3,630円（税込）	好評発売中
税理士試験問題集	簿記論・財務諸表論II	基礎完成編【2025年度版】	3,300円（税込）	好評発売中
税理士試験教科書	簿記論・財務諸表論III	応用編【2025年度版】	2024 年11月発売	
税理士試験問題集	簿記論・財務諸表論III	応用編【2025年度版】	2024 年11月発売	
税理士試験教科書	財務諸表論　理論編【2025年度版】		2024 年12月発売	

☆簿記論・財務諸表論の方はこちらもオススメ！☆

穂坂式 つながる会計理論

税理士 財務諸表論 穂坂式 つながる会計理論【第2版】	2,640円（税込）	好評発売中

過去問ヨコ解き問題集

税理士試験過去問ヨコ解き問題集 簿記論【第3版】	3,740 円（税込）	好評発売中
税理士試験過去問ヨコ解き問題集 財務諸表論【第5版】	3,740 円（税込）	好評発売中

● 試験前の総仕上げには必須のアイテム！

ラストスパート模試　毎年5～6月ごろ発売予定

試験直前期は、出題予想に基づいた『ラストスパート模試』で総仕上げ！
全3回分の本試験さながらの模擬試験を収載。
分かりやすい解説とともに直前期の得点力 UP をサポートします。

※ 画像や内容は 2024 年度版をベースにしたものです。変更となる場合もございます。

● 税理士試験の学習を本格的に始める前に…

知識ゼロでも大丈夫！ 税理士試験のための簿記入門
税理士試験向けの独自の内容で簿記の基本が学習できる1冊です。
本書を読むことで、税理士試験の簿記論に直結した基礎学習が可能なので、簿記
の学習経験が無い方や基礎が不安な方にオススメです。
2,640円（税込）好評発売中！

法人税法の教材

税理士試験教科書・問題集　法人税法I　基礎導入編【2025年度版】	3,300円（税込）	好評発売中
税理士試験教科書　法人税法II　基礎完成編【2025年度版】	3,630円（税込）	好評発売中
税理士試験問題集　法人税法II　基礎完成編【2025年度版】	3,300円（税込）	好評発売中
税理士試験教科書　法人税法III　応用編【2025年度版】	2024 年12月発売	
税理士試験問題集　法人税法III　応用編【2025年度版】	2024 年12月発売	
税理士試験理論集　法人税法【2025年度版】	2,420円（税込）	2024年 9 月発売

相続税法の教材

税理士試験教科書・問題集　相続税法I　基礎導入編【2025年度版】	3,300円（税込）	好評発売中
税理士試験教科書　相続税法II　基礎完成編【2025年度版】	3,630円（税込）	好評発売中
税理士試験問題集　相続税法II　基礎完成編【2025年度版】	3,300円（税込）	好評発売中
税理士試験教科書　相続税法III　応用編【2025年度版】	2024 年12月発売	
税理士試験問題集　相続税法III　応用編【2025年度版】	2024 年12月発売	
税理士試験理論集　相続税法【2025年度版】	2,420円（税込）	2024年 9 月発売

消費税法の教材

税理士試験教科書・問題集　消費税法I　基礎導入編【2025年度版】	3,300円（税込）	好評発売中
税理士試験教科書　消費税法II　基礎完成編【2025年度版】	3,630円（税込）	好評発売中
税理士試験問題集　消費税法II　基礎完成編【2025年度版】	3,300円（税込）	好評発売中
税理士試験教科書　消費税法III　応用編【2025年度版】	2024 年12月発売	
税理士試験問題集　消費税法III　応用編【2025年度版】	2024 年12月発売	
税理士試験理論集　消費税法【2025年度版】	2,420円（税込）	2024年 9 月発売

国税徴収法の教材

税理士試験教科書　国税徴収法【2025年度版】	4,620円（税込）	好評発売中
税理士試験理論集　国税徴収法【2025年度版】	2,420円（税込）	2024年 9 月発売

書籍のお求めは全国の書店・インターネット書店、またはネットスクールWEB-SHOPをご利用ください。

ネットスクール WEB-SHOP

https://www.net-school.jp/

ネットスクール WEB-SHOP ｜検索｜

※ 書名・価格・発行年月は変更する場合もございますので、予めご了承ください。(2024 年 9 月現在)

本書の発行後に公表された法令等及び試験制度の改正情報、並びに判明した誤りに関する訂正情報については、弊社WEBサイト内の『読者の方へ』にてご案内しておりますので、ご確認下さい。

https://www.net-school.co.jp/

なお、万が一、誤りではないかと思われる箇所のうち、弊社WEBサイトにて掲載がないものにつきましては、**書名（ＩＳＢＮコード）と誤りと思われる内容**のほか、お客様の**お名前及び郵送の場合はご返送先の郵便番号とご住所**を明記の上、弊社まで**郵送またはe‐mail**にてお問い合わせ下さい。

＜郵送先＞ 〒101‐0054
東京都千代田区神田錦町3‐23メットライフ神田錦町ビル３階
ネットスクール株式会社　正誤問い合わせ係

＜e‐mail＞　seisaku@net-school.co.jp

※正誤に関するもの以外のご質問、本書に関係のないご質問にはお答えできません。
※**お電話によるお問い合わせはお受けできません。**ご了承下さい。

税理士試験　教科書

相続税法Ⅱ　基礎完成編　【2025年度版】

2024年９月６日　初版　第１刷

著　　　　者	ネットスクール株式会社	
発　行　者	桑原知之	
発　行　所	ネットスクール株式会社　出版本部	
	〒101‐0054　東京都千代田区神田錦町3‐23	
	電　話　03（6823）6458（営業）	
	ＦＡＸ　03（3294）9595	
	https://www.net-school.co.jp	
執筆総指揮	山本和史	
表紙デザイン	株式会社オセロ	
編　　　集	吉川史織　加藤由季	
ＤＴＰ制作	中嶋典子　石川祐子　吉永絢子	
	有限会社ドアーズ本舎　長谷川正晴	
印刷・製本	日経印刷株式会社	

ⒸNet-School　2024　　Printed in Japan　　ISBN　978-4-7810-3836-0

落丁・乱丁本はお取り替えいたします。